Бернхард
ШЛИНК

Бернхард ШЛИНК

~Чтец~

Санкт-Петербург
Издательская Группа
«Азбука-классика»
2009

УДК 82/89
ББК 84.4 Гем
Ш 69

Bernhard Schlink
Der Vorleser

Перевод с немецкого
Бориса Хлебникова

Оформление обложки Ильи Кучмы

Шлинк Б.

Ш 69   Чтец: Роман / Пер. с нем. Б. Хлебникова. — СПб.:
Издательская Группа «Азбука-классика», 2009. —
224 с.

ISBN 978-5-9985-0116-6

Феноменальный успех романа современного немецкого писателя Бернхарда Шлинка «Чтец» (1995) сопоставим разве что с популярностью вышедшего двадцатью годами ранее романа Патрика Зюскинда «Парфюмер». «Чтец» переведен на тридцать девять языков мира, книга стала международным бестселлером и собрала целый букет престижных литературных премий в Европе и Америке.

Внезапно вспыхнувший роман между пятнадцатилетним подростком, мальчиком из профессорской семьи, и зрелой женщиной так же внезапно оборвался, когда она без предупреждения исчезла из города. Через восемь лет он, теперь уже студент выпускного курса юридического факультета, снова увидел ее — среди бывших надзирательниц женского концлагеря на процессе против нацистских преступников. Но это не единственная тайна, которая открылась герою романа Бернхарда Шлинка «Чтец».

ISBN 978-5-9985-0116-6

Часть
первая

1

В пятнадцать лет я переболел желтухой. Она началась осенью, а кончилась весной. Чем холоднее и темнее становился старый год, тем больше я слабел. Лишь после Нового года дело пошло на поправку. Январь выдался теплым, поэтому мать выносила мою постель на балкон. Я глядел на небо, на солнце или облака и слушал, как во дворе играют ребята. Однажды в феврале под вечер до меня донеслось пение дрозда.

Первый выход с Блюменштрассе, где мы жили на третьем этаже солидного, построенного в начале века дома, привел меня на Банхофштрассе. Как-то октябрьским понедельником я возвращался по ней из школы домой, и меня стошнило. До этого я уже несколько дней ощущал слабость, какой прежде никогда не испытывал. Каждый шаг стоил мне больших усилий. Когда приходилось подыматься по ступенькам в школе или дома, я почти не чувствовал ног. Мне и есть ничего не хотелось. Вроде бы проголодавшись, я садился за стол, однако уже через минуту даже смотреть не мог на еду. Утром во рту чувствовалась сухость, и вообще в теле возникало ощущение странной тяжести, будто все внутренности как-то перекосились. Я стыдился этой слабости. И уж совсем застыдился, когда меня стошнило. До тех пор со мною никогда такого не происходило. Рот наполнился жижей, я хотел сглотнуть, сжал губы, закрыл рот рукой, но струя прорвалась сквозь губы и через пальцы. Прислонившись к стене, я глядел на лужицу у ног и давился желтой слизью.

Женщина, пришедшая мне на помощь, обошлась со мною едва ли не грубо. Взяв мою руку, она протащила меня через темную подворотню во двор. Там между окнами были протянуты веревки, на которых сушилось белье. Здесь же лежали доски; из распахнутой двери мастерской летели опилки, тонко звенела пила. Рядом с дверью торчал водопроводный кран. Женщина открыла его, сначала вымыла мою руку, затем набрала обеими пригоршнями воды и плеснула мне в лицо. Я утерся носовым платком.

— Возьми-ка!

Возле крана стояли два ведра, женщина подняла одно и наполнила его водой. Я взял другое, прошел за ней через подворотню. Хорошенько размахнувшись, женщина выплеснула воду на тротуар и смыла жижу. Она забрала мое ведро, и за первым водопадом последовал второй.

Женщина выпрямилась и увидела, что я плачу.

— Ну что ты, малыш? — сказала она удивленно.

Она обняла меня. Я был лишь чуточку выше ростом, своей грудью я чувствовал ее грудь; уткнувшись в нее, я различал и кисловатый запах из собственного рта, и легкий запах ее пота. Непонятно было, куда девать руки; плакать я перестал.

Выяснив, где я живу, она отнесла ведра в подворотню и отвела меня домой. Она шла рядом, в одной руке несла мою школьную сумку, а в другой держала мою ладонь. От Банхофштрассе до Блюменштрассе

8

совсем недалеко. Она шагала быстро и решительно, мне легко удавалось идти в ногу. Перед нашим домом мы распрощались.

В тот же день мать вызвала врача, который определил желтуху. Позднее я рассказал матери о той женщине. Иначе, наверное, мой последующий визит вряд ли бы состоялся. Но для матери само собой разумелось, чтобы я при первой же возможности купил на собственные карманные деньги букет цветов и сходил поблагодарить незнакомку. Так и получилось, что в конце февраля я вновь отправился на Банхофштрассе.

2

Того дома на Банхофштрассе теперь уже нет. Когда и почему его снесли, не знаю. Долгое время я не бывал в родном городе. Новое здание, построенное в семидесятых или восьмидесятых годах, насчитывает пять этажей; на верхнем этаже высокие потолки; ни балконов, ни эркеров нет, все гладкое и светлое. Множество звонков у подъезда указывает на наличие небольших отдельных квартир. В такую квартиру поселяются ненадолго, вроде того, как берут напрокат автомобиль. На нижнем этаже сейчас открыт магазин, торгующий компьютерами, которому предшествовали сначала аптека, затем продуктовый магазин, а потом видеотека.

У прежнего дома при той же высоте было четыре этажа, то есть партер, сложенный из отшлифованных кубов песчаника, и три этажа кирпичной кладки — с эркерами, балконами, каменным обрамлением окон. К парадному вела лестница с каменным бордюром и железными перилами, вверху ступеньки были поуже, внизу пошире, железки завивались спиралью. Входную дверь украшали колонны, один лев на архитраве глядел на верхнюю часть Банхофштрассе, другой — на нижнюю. Подворотня, через которую незнакомая женщина отвела меня к водопроводному крану, имела боковой вход.

Я заприметил этот дом, когда еще был совсем маленьким. Он доминировал над другими зданиями квартала. Мне казалось, если этот дом натужится и еще больше раздастся вширь, то соседние дома обязательно посторонятся, уступая ему место. В моем воображении рисовался роскошный подъезд с лепниной, зеркалами и персидской ковровой дорожкой, придавленной на парадной лестнице блестящими латунными прутьями. По-моему, в таком солидном доме могли жить только солидные господа. А поскольку сам дом с годами потемнел от сажи, летящей с проходящих неподалеку поездов, то и его обитатели представлялись людьми мрачными и, пожалуй, необычными — например, немыми или глухими, горбатыми или хромыми.

Позднее мне долгие годы снился этот дом. Все сны были одинаковыми, точнее, они варьировали одну и ту же тему. Будто я оказываюсь в чужом городе и неожиданно вижу перед собой тот самый дом. Он стоит среди других домов на улице, которая мне совершенно незнакома. Я иду дальше, недоумевая, как это я мог узнать дом в совсем не известном мне городском квартале. Тут мне приходит в голову, что уже где-то видел этот дом. Только вспоминается мне не мой родной город и не Банхофштрассе, а другой город и даже другая страна. Например, мне снится Рим, и я вижу этот дом, но мне чудится, будто прежде я видел его в Берне. Почему-то такое воспоминание успокаивает; увидеть знакомый дом в новом окружении кажется мне не более странным, чем случайная встреча со старым другом в непривычном месте. Я поворачиваю назад, возвращаюсь к дому, поднимаюсь на ступеньку. Хочу войти в парадное. Нажимаю на ручку двери.

Порою мне снится, что этот дом — за городом. Тогда сон тянется дольше, а потом лучше запоминаются подробности. Скажем, я еду на машине. Справа замечаю дом, но еду дальше, поначалу лишь слегка обескураженный тем, что дом вполне городского вида стоит в чистом поле. Мне приходит на ум, что я где-то уже видел его, и замешательство усиливается. Вспомнив наконец, откуда я знаю этот дом, поворачиваю назад. Дорога во сне всегда пуста, я несусь на огромной скорости, аж шины визжат. Я боюсь куда-то опоздать, прибавляю ходу. И вот он снова передо мной. В Пфальце дом стоит среди полей или виноградников, среди рапса или ржи, а в Провансе вокруг него заросли лаванды. Местность равнинная или же слегка холмистая. Деревьев нет. День ясен, светит солнышко, воздух слегка дрожит, шоссе поблескивает на солнцепеке. Входа не видно, он заслонен брандмауэром, поэтому кажется, будто дом вообще недоступен. Впрочем, возможно, что брандмауэр принадлежит совсем иному сооружению. Этот дом не так мрачен, как на Банхофштрассе. Зато окна его до того покрыты пылью, что сквозь них ничего не разглядишь, не видно даже гардин. Дом слеп.

Останавливаюсь на обочине, перехожу на другую сторону шоссе, направляюсь ко входу. Вокруг никого не видно, ничего не слышно — даже отдаленного звука мотора, порыва ветра, птичьего голоса. Мир умер. Поднимаюсь по ступенькам, нажимаю на ручку двери.

Но дверь не открывается. Проснувшись, я поначалу могу лишь вспомнить, что взялся за дверную ручку и нажал на нее. Но постепенно мне вспоминается весь сон, а также то, что я его уже видел раньше.

3

Как звали ту женщину, я не знал. Держа в руке букет, я нерешительно переминался с ноги на ногу перед звонками и табличками с фамилиями жильцов. Я готов был уйти. Но тут из дома вышел мужчина; поинтересовавшись, кого я разыскиваю, он направил меня к госпоже Шмиц, которая жила на четвертом этаже.

Ни лепнины, ни зеркал, ни ковровой дорожки. От скромных украшений подъезда, несравнимых с роскошью парадного входа, не осталось и следа. Красные полоски на ступеньках стерлись посредине, повытерся и узорчатый зеленый линолеум вдоль лестницы на уровне плеча; кое-где отсутствующие стойки перил были заменены веревками. Пахло каким-то моющим средством. Возможно, на все это я обратил внимание лишь позднее. Здесь всегда было одинаково убого и одинаково чисто, всегда пахло этим моющим средством, к которому иногда добавлялись запахи капусты, бобов, жаркого, кипятящегося белья. Мое знакомство с прочими жильцами ограничилось этими запахами, ковриками перед дверьми квартир да фамилиями под звонками. Не помню, чтобы мне когда-нибудь повстречался кто-либо из жильцов.

13

Не помню я и своих первых слов, сказанных госпоже Шмиц. Вероятно, это были несколько заранее подготовленных фраз о моей болезни, о признательности за оказанную помощь. Она пригласила меня на кухню.

Кухня была самым большим помещением в ее квартире. Здесь стояли плита и мойка, а также ванна с нагревателем, стол с двумя стульями, платяной шкаф и кушетка, покрытая красным бархатом. Окон в кухне не было. Свет сюда попадал через стеклянную дверь, которая вела на балкон. Света в кухне хватало только тогда, когда дверь была открыта. Тогда из столярной мастерской во дворе на кухню доносился визг пилы и запах древесины.

Единственная жилая комната была маленькой и узкой. Ее обстановка состояла из буфета, стола, четырех стульев, кресла с высокой спинкой и печки. Впрочем, зимой комната почти никогда не отапливалась, да и летом ею практически не пользовались. Окно выходило на Банхофштрассе с видом на территорию бывшего вокзала, теперь перерытую котлованами под новые здания суда и прочих учреждений. А еще в квартире имелась крошечная уборная без окошка. Если в ней воняло, то это чувствовалось и в коридоре.

Уже не помню, о чем мы говорили тогда на кухне. Госпожа Шмиц гладила белье на столе, на который постелила шерстяной плед, а сверху кусок полотна. Она брала из бельевой корзины одну вещь за другой, гладила ее, а потом аккуратно вешала на одном из двух стульев. На другом сидел я. Гладила она и свое нижнее белье; я старался не смотреть на него, но не мог отвести глаза. На ней был халатик без рукавов, синий в блекло-красный цветочек. Доходящие до плеч пепельного цвета волосы были схвачены на затылке заколкой. Ее голые руки показались мне бледными. Движения, которыми она поднимала утюг, гладила, складывала белье, были медлительными и собранными, с такой же медлительностью и собранностью она наклонялась или выпрямлялась. На воспоминания о ее тогдашнем выражении лица наложились более поздние воспоминания. Когда я вызываю ее теперь из своей памяти, то вижу безликой. Чтобы восстановить ее черты, приходится делать усилие. Высокий лоб, высокие скулы, голубые глаза, полные, без резких изгибов губы, рельефный подбородок. Открытое, простоватое женское лицо. Знаю, что она казалась мне красивой. Но самой красоты не помню.

4

— Погоди-ка, — сказала она, когда я встал, собираясь уходить, — мне тоже надо выйти, проводи меня немножко.

Я ждал ее в коридоре. Она переодевалась на кухне. Дверь была чуточку приоткрыта. Сняв халатик, она осталась в светло-зеленой комбинации. Чулки висели на спинке стула. Она взяла один чулок и, перебирая пальцами, скатала его край в тугой ролик. Балансируя на одной ноге, она уперлась пяткой другой ноги в колено, наклонилась, натянула скатанный ролик на мысок ступни, поставила ее на сиденье стула, расправила чулок на щиколотке, на колене, на бедре, затем отклонилась в сторону и прицепила чулок к застежке. Потом выпрямилась, убрала ногу со стула, взяла другой чулок.

Я не мог отвести от нее взгляда. От ее затылка, плеч, груди, которую комбинация скорее подчеркивала, нежели скрывала, от ягодиц, на которых натягивалась комбинация, когда она опиралась пяткой о колено или ставила ногу на стул, от ноги, сначала бледной, голой, а потом шелковисто мерцающей в чулке.

16

Она почувствовала мой взгляд. С чулком в руке она повернулась к двери и посмотрела мне прямо в глаза. Не знаю, что выражал ее взгляд — удивление, вопрос, понимание, упрек? Я покраснел. Какое-то мгновение я стоял с пылающим лицом. Потом, не выдержав, бросился вон из квартиры, скатился по лестнице вниз и выскочил из дома на улицу.

Брел, едва переставляя ноги. Банхофштрассе, Хойссерштрассе, Блюменштрассе — по этим улицам вот уже несколько лет я ежедневно ходил в школу. Я знал тут каждый дом, каждый палисадник, каждый ежегодно заново крашенный забор, деревяшки которого стали уже настолько серыми и трухлявыми, что я легко мог сломать их одной рукой, каждую металлическую ограду; когда я был маленьким, то трезвонил на бегу палкой по ее прутьям; вот высокая каменная стена — за нею мне всегда чудилось нечто таинственное и страшное, пока однажды я не взобрался на нее и не увидел внизу скучные, запущенные грядки с цветами, ягодами и овощами. Я хорошо знал и булыжные мостовые, и асфальтовые, и их переходы на покрытые плитками, вымощенные волнистыми базальтовыми камнями, посыпанные щебнем и галькой боковые дорожки.

Все это было мне давно знакомо. Когда колотящееся сердце успокоилось, а лицо перестало гореть, происшествие между кухней и коридором показалось оставшимся далеко позади. Я злился на себя. Сбежал, будто маленький ребенок, вместо того чтобы повести себя спокойно, как я вправе был ожидать от себя. Ведь мне было уже не девять лет, а пятнадцать. Непонятно только, что означало бы в данном случае «вести себя спокойно».

Непонятно было и само происшествие. Почему я не мог отвести от нее глаз? Ее тело было гораздо более женственным, статным, чем у девочек, которые мне нравились, на которых я засматривался. Но я был уверен, что не обратил бы на нее особого внимания, если бы увидел, например, на пляже. И была она обнажена не больше, чем девочки или женщины, которых я раньше видел на пляже. К тому же она была гораздо старше тех девочек, о которых я порой мечтал. Сколько ей, за тридцать? Трудно угадывать возраст тех, кто старше и до чьих лет тебе еще предстоит дожить.

Спустя многие годы я догадался, что дело было не столько в ее внешности, сколько в движениях и пластике. Я просил моих женщин надевать при мне чулки, но не мог объяснить им смысл моей просьбы, так как не мог сам понять загадку того, что произошло между кухней и коридором. Просьба истолковывалась как эротическая причуда, своего рода фетишизация чулок и застежек, а потому исполнялась в кокетливых позах. Но я не мог отвести взгляд вовсе не поэтому. Ведь тогда она ничуть не кокетничала. Да и вообще не могу припомнить за нею кокетства. Помню только, что ее тело, ее позы и движения казались мне немного тяжеловесными. Нет, она совсем не была сколько-нибудь грузной. Просто она как бы уходила куда-то в самую глубь своего тела, позволяя ему жить собственной, особой жизнью, ритм которой не нарушался приказаниями, шедшими из головы, и словно забывая о том, что происходит вовне и вокруг. Вот это забвение окружающего почувствовал я тогда в ее движениях, когда она надевала чулки. Нет, в ней не было, пожалуй, ничего тяжеловесного. Она была гибкой, грациозной, соблазнительной — только соблазнительными были не грудь, не ягодицы, не ноги, а приглашение забыть об окружающем мире в глубинах тела.

Тогда я всего этого еще не знал, да, возможно, и сейчас не столько знаю, сколько выдумываю. Но в тот день, стараясь понять, что же меня, собственно, взволновало, я вновь почувствовал прежнее волнение. Чтобы разрешить загадку, я вызвал в памяти ее образ, и отчуждение, которое превратило увиденное в загадку, вдруг исчезло. Я опять увидел ее перед собой и вновь не мог отвести взгляда.

5

Спустя неделю я вновь стоял у ее двери.

Всю эту неделю я старался не думать о ней. Но дни были пустыми, ничто не могло отвлечь меня; в школу не пускал врач, читать книги за последние месяцы надоело, а приятели хоть иногда и заглядывали, но болел я уже слишком долго, поэтому их визиты, становившиеся все более краткими, не могли послужить мостиком между моим времяпрепровождением и их повседневными делами. Мне предписывалось гулять, каждый день немножко дольше, чем накануне, однако при этом следовало избегать нагрузок. А они пошли бы мне, пожалуй, только на пользу.

Что за проклятье болеть в детстве или в юности! Уличное приволье доносится из-за окна, со двора лишь приглушенными звуками. В комнате же толпятся герои со своими историями из книжек, прочитанных больным ребенком. Жар, притупляя чувство реальности, обостряет фантазию и открывает в привычном окружении нечто чужое и странное; в узорах гардин мерещатся жуткие чудовища, они корчат рожи с рисунка обоев; стулья и столы, шкафы и этажерки превращаются в груды скал, причудливые сооружения или корабли, до которых вроде бы рукой подать, но в то же время они оказываются где-то далеко-далеко. А долгими ночными часами слышатся то бой часов с церковной башни, то тихий рокот проезжающей машины — отсвет ее фар скользит по стенам и потолку. Часы без сна — но это не значит, что им чего-то не хватает, наоборот. Они переполнены томлением, воспоминаниями, тревогами, смутные желания сплетаются в лабиринт, где больной теряется, находит себя вновь, чтобы заплутать опять. Это часы, когда все становится возможным — и хорошее, и дурное.

По мере выздоровления это постепенно проходит. Но если болезнь была затяжной, то комната пронизывается чем-то таким, что заставляет ребенка блуждать по прежним лабиринтам, даже когда он уже выздоравливает.

Каждое утро я просыпался с нечистой совестью; иногда на пижамных штанах оставались влажные пятна. Мне снились нехорошие сны. Правда, я знал, что меня не стали бы корить ни мать, ни священник, который готовил меня к конфирмации и которого я очень уважал, ни старшая сестра, которой я поверял свои ребяческие секреты. Но начались бы осторожные, деликатные увещевания, а это хуже любых укоров. Самым же нехорошим в моих снах было то, что они не просто приходили ко мне — я сам вызывал в себе эти грезы.

Не знаю, как я набрался смелости опять пойти к госпоже Шмиц. Может, таким образом мое нравственное воспитание восстало против себя? Ведь если вожделенный взгляд столь же греховен, как удовлетворение вожделения, а вызываемые грезы столь же греховны, как то, о чем я грезил, то не проще ли удовлетворить само желание и совершить сам грех?

С каждым днем я убеждался, что не могу отделаться от греховных мыслей. А раз так, то я захотел и самого деяния.

Было и еще одно соображение. Да, идти к ней рискованно. Только невозможно, чтобы риск обернулся чем-то реальным. Наверное, госпожа Шмиц просто удивится моему приходу, выслушает извинения за мое странное поведение и дружелюбно распрощается со мной. Гораздо опаснее было для меня не идти к ней, тогда мне уж вовсе не избавиться от моих грез. Значит, надо идти. Она все поймет правильно, и я поступлю правильно, следовательно, все опять придет в норму.

Вот так я размышлял тогда, придумывая для своих вожделений причудливые моральные оправдания, чтобы заглушить угрызения совести. Но не это придало мне смелости. Да, я изобретал причины, по которым и мать, и почитаемый мною священник, и старшая сестра, хорошенько подумав, должны были бы не препятствовать моему визиту к госпоже Шмиц и даже, напротив, уговаривать меня совершить его. Но в действительности дело было совсем в другом. На самом деле я не знаю, почему я пошел к ней. Просто сегодня я распознаю в тогдашнем поступке ту схему, по которой на протяжении дальнейшей жизни согласовывались — или не согласовывались — мои мысли с моими поступками. Обычно я размышляю, прихожу к определенному выводу, превращаю этот вывод в некое решение; впрочем, теперь я сознаю, что поступок есть действие вполне самостоятельное, он может стать следствием принятого решения, но не обязательно. Мне часто приходилось делать в жизни что-то, не приняв соответствующего решения, и наоборот, я многого не делал, хотя и принимал твердое решение. Нечто, не знаю что, действует во мне само по себе; оно влечет меня к женщине, которую я не хочу больше видеть, или заставляет сказать начальнику дерзость, которая может стоить мне головы, или тянет к сигарете вопреки намерению бросить курить и вынуждает бросить курить как раз тогда, когда я смиряюсь с мыслью, что мне суждено остаться курильщиком до конца моих дней. Не стану утверждать, будто размышления и принятые решения вообще никак не влияют на поступки. Но поступки не являются простым следствием размышлений и решений. У них есть собственный источник, такое же свое самостояние, которое делает мои мысли моими мыслями, а мои решения — моими решениями.

6

Дома ее не оказалось. Дверь подъезда была не закрыта, а лишь притворена, я поднялся по лестнице, позвонил, подождал. Затем позвонил еще раз. Внутри квартиры двери были распахнуты, я увидел это через стекло входной двери; разглядел я также и зеркало в коридоре, шкаф и часы. Даже услышал, как они тикают.

Усевшись на ступеньки, я принялся ждать. Я не чувствовал облегчения, как это бывает, когда, принимая решение, трусишь, так как боишься последствий, зато потом радуешься, что решение исполнил и ничего страшного не произошло. Впрочем, не было и разочарования. Просто я твердо решил ее увидеть, то есть дождаться ее прихода.

Часы в коридоре били каждые четверть часа, полчаса и полный час. Я попытался следить за тиканьем, чтобы отсчитывать девятьсот секунд от одного боя курантов до другого, однако не мог сосредоточиться. Меня отвлекало визжание пилы во дворе, звуки музыки из какой-то квартиры, хлопанье дверей. Потом я услышал на лестнице тяжелые, ровные, медленные шаги. Оставалось лишь надеяться, что мужчина не дойдет до меня. Ведь если он увидит меня, как ему объяснить, что я тут делаю? Однако шаги, дойдя до третьего этажа, не затихли. Человек пошел дальше. Я встал.

Это была госпожа Шмиц. В одной руке она несла пакет, в другой — корзину с угольными брикетами. По форменной жакетке и юбке я догадался, что она работает трамвайным кондуктором. Она не замечала меня, пока не дошла до лестничной площадки. В глазах не появилось ни раздражения, ни удивления, ни насмешки — ничего такого, чего я опасался. Вид у нее был усталый. Поставив корзину, она сунула в карман жакетки руку за ключом, об пол звякнули несколько выпавших монет. Я поднял их, протянул ей.

— В подвале еще два пакета. Можешь их наполнить и сюда принести? Дверь там открыта.

Я бросился вниз. Дверь подвала действительно была открыта, свет тоже горел; спустившись по длинной подвальной лестнице, я нашел дощатую загородку; дверца ее была лишь прислонена, задвижка открыта, на ней болтался подвешенный за дужку замок. Подвал был довольно большим, уголь громоздился почти до потолка, во всяком случае до самого люка, через который уголь ссыпался с улицы в подвал. Возле двери с одной стороны были аккуратно уложены угольные брикеты, а с другой лежали пакеты.

Даже не знаю, чем объяснить мою оплошность. Дома я тоже носил уголь из подвала, и никогда у меня не возникало никаких проблем. Правда, дома куча не бывала такой высокой. Первый пакет наполнился легко. А вот когда я взялся за ручки второго пакета, чтобы подставить его под уголь, вся куча пришла в движение. Сверху с большими отскоками посыпались маленькие куски, увлекая за собою куски покрупнее, которые катились не так шибко, внизу все это сложилось в здоровенный оползень. Поднялось облако черной пыли. Я остолбенел от испуга, куски угля били меня по ногам, и вскоре я уже стоял по щиколотку в черной куче.

Когда все улеглось, я наполнил оба пакета, потом взял метлу, собрал в загородку куски угля, выкатившиеся наружу, закрыл дверь и пошел с обоими пакетами наверх.

Она уже сняла жакет, ослабила узел галстука, расстегнула верхнюю пуговку и сидела со стаканом молока у кухонного стола. Взглянув на меня, она сначала сдержанно усмехнулась, а потом откровенно расхохоталась. Показывая на меня пальцем, другой рукой она шлепнула по столу:

— Ну и вид у тебя, малыш! Ну и вид!

Тут я увидел в зеркале над мойкой свое черное лицо и тоже не мог удержаться от смеха.

— Таким тебе домой нельзя. Сейчас налью ванну и вытряхну твою одежду. — Подойдя к ванне, она открыла кран. Вода с паром хлынула в ванну. — Раздевайся осторожно, а то напылишь тут на кухне.

Я помедлил, затем снял свитер и рубашку, опять помедлил. Вода набиралась быстро, ванна была уже почти полной.

— Ты что, в брюках и ботинках собрался мыться? Ладно, малыш, я отвернусь.

Однако когда я, закрыв кран, снял трусы, она спокойно взглянула на меня. Я покраснел, залез в ванну, нырнул с головой. Вынырнув, увидел, что она ушла с моей одеждой на балкон. Мне было слышно, как она била подошвами друг о друга мои ботинки, вытряхивала брюки и свитер. Она что-то прокричала вниз про угольную пыль и стружки, со двора ей что-то ответили, она рассмеялась. Вернувшись на кухню, она положила мои вещи на стул. Мельком взглянула на меня.

— Возьми-ка шампунь и вымой голову. Сейчас принесу полотенце. — Она открыла платяной шкаф, потом вышла из кухни.

Я вымылся. Вода сделалась грязной, пришлось заново наполнить ванну, сполоснуть под струей голову и лицо. Я лежал, слушая, как гудит нагреватель, чувствуя тепло воды и холодок на лице, который шел от приоткрытой кухонной двери. Мне было хорошо. Это как-то возбуждало меня, и член мой встал.

Я не заметил, как она вошла на кухню, и увидел ее уже только у ванны. Она держала перед собой растянутое полотенце.

— Подымайся!

Вылезая из ванны и выпрямляясь, я повернулся к ней спиной. Закутав меня сзади с головы до ног, она насухо вытерла меня. Потом полотенце скользнуло вниз. Она подошла ко мне так близко, что я почувствовал спиной ее грудь и ягодицами ее живот. Она тоже была голой. Одну ладонь она положила мне на грудь, а другую на мой возбужденный член.

— Так вот почему ты пришел.

— Я... — Я не знал, что сказать. Не мог сказать «да» и не мог сказать «нет». Я повернулся. Увидел немного. Мы стояли слишком близко друг к другу. Но меня сразила сама ее нагота. — До чего ты красива!

— Не говори глупостей, малыш. — Она засмеялась, обняла меня за шею, я тоже обнял ее.

Я боялся прикоснуться к ней, поцеловать, боялся, что слишком мал для нее. Но когда мы немножко постояли так, обнявшись, и до меня дошел ее запах, тепло и сила ее тела, то все остальное совершилось само собой. Я блуждал по ее телу руками и ртом, потом наши губы встретились, наконец ее лицо взошло надо мною, мы глядели в глаза друг другу, пока я не содрогнулся, сначала закрыл глаза, пытаясь сдержаться, а затем вскрикнул так громко, что ей пришлось зажать мне рот ладонью.

7

Той же ночью я влюбился в нее. Сон был неглубок, я томился без нее, она мне снилась, мне казалось, будто она со мной, но потом я понимал, что держу в руках подушку или одеяло. Губы болели от поцелуев. Возбуждался член, но мне не хотелось удовлетворять себя самому, я вообще решил никогда больше не делать это сам. Мне хотелось быть с ней.

Влюбился ли я в нее за то, что она переспала со мной? До сих пор после ночи, проведенной с женщиной, у меня бывает такое чувство, будто мне сделали подарок, на который я должен чем-то ответить: ответить этой женщине — например, попыткой полюбить ее — и всему миру, дары которого я принимаю.

Одно из немногих ярких воспоминаний моего раннего детства восходит к зимнему утру, когда мне было четыре года. Комната, где я тогда спал, не отапливалась, поэтому ночью и утром в ней бывало очень холодно. Помню теплую кухню и жаркую плиту, громоздкую, чугунную, внутри которой, если отодвинуть кочергой железные круги, можно было увидеть огонь; здесь грели воду. Мать подвигала к плите стул и ставила меня на него, чтобы одеть и умыть.

Помню это ощущение тепла и то блаженство, которое я испытывал от умывания теплой водой и одевания. Всякий раз, когда я вспоминаю об этом, то задаюсь вопросом: почему меня мать так баловала? Может, я был болен? Или же мне досталось то, чем оказались обделены мои сестры и брат? А может, меня готовили с утра к чему-то трудному, неприятному, что предстояло пережить днем?

На следующий день я пошел в школу, причиной чего послужил, в частности, тот подарок, который я получил накануне от женщины, остававшейся пока в моих мыслях безымянной. Мне хотелось, чтобы другие увидели, что я стал мужчиной. Нет, я не собирался хвастать. Просто я ощущал силу, даже превосходство над другими, и мне хотелось молча дать почувствовать мою силу и превосходство одноклассникам и учителям. Кроме того, хоть мы и не говорили с ней об этом, но я решил, что, будучи трамвайным кондуктором, она, наверное, работает до позднего вечера или даже до ночи. Как же мы сможем ежедневно видеться с ней, если на время болезни мне полагалось сидеть дома и в лучшем случае совершать короткие оздоровительные прогулки?

Когда я вернулся от нее домой, родители, сестры и брат уже сидели за ужином.

— Почему так поздно? Мать волнуется. — В голосе отца слышалось скорее раздражение, чем беспокойство.

Я ответил, что заблудился; мол, хотел прогуляться через Братское кладбище до Молькенкура, но попал неизвестно куда, а в конце концов очутился в Нуслохе.

— Денег у меня не было, пришлось добираться от Нуслоха пешком.

— Попросил бы, чтобы тебя подвезли. — Моя младшая сестра иногда путешествует автостопом, родители этого не одобряют.

Старший брат презрительно засопел:

— Молькенкур и Нуслох — это ж противоположные концы.

— Завтра пойду в школу.

— Вот и поучи географию. Где север, а где юг, солнце восходит на...

Мать перебила его:

— Но врач говорил, что еще три недели...

— Если уж он может допехать от Братского кладбища до Нуслоха и обратно, то может и в школу ходить. Не сил ему не хватает, а мозгов.

Раньше мы с братом вечно дрались, позднее потасовки сменились словесными перепалками. Он был старше меня на три года, поэтому превосходил меня как в одном, так и в другом. С каких-то пор я перестал давать ему сдачи, так что его бойцовский пыл не находил себе применения. Теперь он ограничивался ворчанием.

— А ты что скажешь? — обратилась мать к отцу.

Положив вилку с ножом на тарелку, он откинулся, скрестил руки на коленях. Помолчал, подумал, как делал это всегда, когда мать заводила разговор о детях или о хозяйстве. Меня всегда интересовало, действительно ли он задумался над тем, что спросила мать, или только делает вид, а сам думает о своей работе. Наверное, он предпринимал попытку, но едва начинал размышлять, его мысли не могли заняться ничем иным, кроме работы. Он был профессором философии, размышления составляли его жизнь — раздумья, чтение, сочинение книг, преподавание.

Иногда у меня возникало такое чувство, будто мы, его семья, служили для него чем-то вроде домашних животных. Вроде собаки, с которой ходят гулять, или вроде кошки, с которой играют, берут на колени, гладят ее, свернувшуюся комочком, слушают ее мурлыканье — все это может хозяину нравиться, даже отвечать какой-то потребности, если бы не докучливая покупка корма, возня с кошачьим туалетом, визиты к ветеринару. Это уже слишком, ибо жизнь подлинная состоит в ином. А мне бы хотелось, чтобы мы, семья, и были его подлинной жизнью. Порой я желал, чтобы у меня был другой брат, не такой ворчун, и другая младшая сестра, не такая нахальная. Но в тот вечер я всех их ужасно любил. Например, младшую сестру. Нелегко ведь, наверное, быть самой маленькой из четырех детей, тут без нахальства своего не добьешься. Или старшего брата. Нам приходилось делить с ним комнату, что для него было, конечно же, тяжелее, чем для меня, не говоря уж о том, что, пока я болел, он был вынужден уступить мне всю комнату, а сам спал на софе в гостиной. Как же тут не ворчать? Или взять отца. Почему, собственно, детьми должна исчерпываться вся его жизнь? Ведь мы уже скоро станем взрослыми и уйдем из дома.

У меня было такое чувство, будто мы в последний раз собрались за нашим круглым столом под пятирожковой латунной люстрой, будто в последний раз мы ужинаем вместе со старых тарелок с зеленым ободком, в последний раз ведем семейную беседу. Я как бы прощался с остальными. Мы еще были вместе и уже врозь. Я тосковал по родному дому, по матери, отцу, сестрам и брату, но меня тянуло к той женщине.

Отец взглянул на меня:

— Ты сказал, что собираешься завтра в школу. Верно?

— Да.— Значит, он обратил внимание, что я спросил не мать, а его, или даже поставил в известность о своем решении, а не спросил, пора ли мне снова идти в школу.

Он кивнул:

— Ладно, ступай. Если будет тяжело, посидишь еще дома.

Я был счастлив. Но одновременно ощутил, что прощание состоялось.

8

В ближайшие дни она работала в утреннюю смену и возвращалась домой к полудню. Я же, каждый раз прогуливая последний урок, ждал ее на ступеньках лестницы перед дверью квартиры. Мы шли под душ, занимались любовью, после чего около половины второго я поспешно одевался и мчался домой. В половине второго дома был обед. По воскресеньям мы обедали уже в двенадцать, правда, и ее утренняя смена начиналась и заканчивалась позже.

От душа я бы отказался. Но она была ужасно чистоплотной, обязательно принимала душ утром, а мне нравился запах ее духов, ее тела и даже те запахи, которые она приносила после работы на трамвае. Впрочем, нравилось мне и ее мокрое тело, покрытое мыльной пеной; я любил, когда она меня намыливала, и сам с удовольствием намыливал ее — она научила меня делать это без ложной стыдливости, со спокойной тщательностью и каким-то естественным чувством права на обладание мною. С такой же естественностью она предавалась любви. Ее язык играл моим языком, она говорила мне, где и как ее трогать. Она садилась на меня сверху, была страстной, я существовал для нее в мгновения чувственного апофеоза лишь постольку, поскольку со мной, благодаря мне она испытывала наслаждение. Нет, она вовсе не обделяла меня ласками, не забывала обо мне. Но все это она делала ради собственного наслаждения, чему она учила и меня.

Это пришло позднее. По-настоящему я так всему и не научился. Да я и не ощущал в том большого недостатка. Я был слишком молод, быстро кончал, и мне нравилось, пока я вновь приходил в себя, быть в ее власти. Я видел ее над собою, видел ее живот, на котором выше пупка обозначалась глубокая складка, ее груди, из которых правая казалась мне чуточку больше левой, ее лицо и приоткрытый рот. Она опиралась руками о мою грудь, а в последний момент всплескивала ими, обхватывала свою голову и издавала беззвучный, захлебывающийся, всхлипывающий крик — в первый раз он испугал меня, а позднее я с жадностью ожидал его.

Потом мы лежали обессиленные. Часто она засыпала на мне. Со двора до меня доносились визг пилы и громкие голоса рабочих, заглушавшие этот визг. Если пила замолкала, то в кухне слышался шум машин, проезжавших по Банхофштрассе. Когда раздавались голоса играющих детей, это означало для меня, что минул час дня и уроки в школе кончились. В это же время сосед сверху, возвращавшийся домой к полудню, высыпал на своем балконе птичий корм; к нему отовсюду слетались голуби, которые начинали громко ворковать.

— Как тебя зовут? — спросил я на шестой или седьмой день наших встреч.

Она только что проснулась после того, как задремала на мне. До этих пор я обращался к ней, стараясь не говорить ни «вы», ни «ты».

Она встрепенулась:

— Что?

35

— Как тебя зовут?

— Зачем тебе? — Она недоверчиво взглянула на меня.

— Но ведь мы... Я знаю твою фамилию, а имени не знаю. Что ж тут?..

— Да нет, ничего плохого тут нет, малыш. Меня зовут Ханна.— Она засмеялась, долго не могла остановиться, отчего я тоже рассмеялся.

— Ты так странно на меня посмотрела.

— Просто я еще толком не проснулась. А тебя как зовут?

Мне казалось, что она это уже знает. Тогда было модно носить учебники или тетради не в портфеле, а под мышкой; мои вещи частенько лежали на кухонном столе, имя можно было прочесть на тетрадях и на учебниках, которые я обертывал толстой бумагой, а сверху делал наклейку с именем и фамилией. Но она, видимо, не обратила на них внимания.

— Меня зовут Михаэль Берг.

— Михаэль, Михаэль, Михаэль. — Она словно пробовала мое имя на слух. — Итак, моего малыша зовут Михаэль, он студент...

— Школьник.

— ...он школьник, и ему — сколько, семнадцать? Мне польстили лишние два года, и я кивнул.

— ...ему семнадцать, и когда он будет взрослым, то станет знаменитым... — Она помедлила.

— А я еще не решил, кем я стану.

— Но ты же учишься.

— Да, но...

Я сказал, что она для меня важнее любой учебы. И что мне хотелось бы бывать с ней подольше.

— Ведь все равно я останусь на второй год.

— Как это? — Она привстала. Это был наш первый серьезный разговор.

— Ну так, на второй год в последнем классе средней ступени. Я же столько пропустил из-за болезни. Глупо вкалывать, как дурак, чтобы все это навёрстывать. Ведь мне и сейчас надо было бы быть на занятиях. — Я рассказал ей о моих прогулах.

— Вон. — Она откинула одеяло. — Вон из моей постели. И никогда не приходи сюда, пока не выучишь все уроки. Вкалывать, как дурак? Глупо? А билеты продавать и компостировать, по-твоему, не глупо? — Она встала голая посреди кухни, изображая кондуктора: левой рукой открыла маленькую сумку с билетами, подцепила пальцем с резиновым наперстком два билета, оторвала их, взмахнула правой рукой, чтобы подхватить болтающийся на ремешке компостер, щелкнула им два раза. — Два до Рорбаха. — Она протянула ладонь, получила деньги, открыла кошель на животе, сунула туда купюру, снова закрыла кошель, расстегнула отделение для мелочи, отсчитала сдачу. — У кого еще нет билетов? — Она пристально посмотрела на меня. — Глупо? Да ты не знаешь, что это такое.

Я сидел на краешке кровати. Меня словно по голове ударили.

— Прости. Я буду заниматься. Не знаю, успею ли все наверстать — ведь до конца учебного года осталось всего шесть недель. Но я постараюсь. Только у меня ничего не получится, если я не смогу видеть тебя. Я... — Сначала мне хотелось сказать: я люблю тебя. Но потом передумал. Может, она и права, даже наверняка. Но она не смеет требовать от меня, чтобы я лучше учился, тем более ставить наши свидания в зависимость от сделанных уроков. — Я не могу не видеть тебя.

Часы в коридоре пробили половину второго.

— Тебе пора. — Она помедлила. — С завтрашнего дня я выхожу во вторую смену. Возвращаться буду в полшестого, тогда и приходи. Но только после того, как позанимаешься.

Мы стояли друг против друга голые, но и в своей форме она не выглядела бы такой чужой. Я ничего не мог понять. Было все дело во мне? Или в ней? Может, она обиделась, что ее работа получилась глупой по сравнению с моей учебой? Но я же ничего такого не говорил ни про учебу, ни про ее работу. Или ей не нравилось иметь любовником неудачника? Разве я ее любовник? Кто я для нее? Одеваясь, я медлил в надежде, что она что-нибудь скажет. Когда я наконец оделся, она все еще продолжала стоять голой. Я потянулся обнять ее, но она даже не шевельнулась.

9

Почему мне делается грустно, когда я вспоминаю об этом? Возможно, я грущу о минувшем счастье — ведь та пора действительно была счастливой, те несколько недель, когда я и впрямь вкалывал, как дурак, мне удалось перейти в следующий класс, и мы любили друг друга так, будто ничего важнее на свете нет. Или, может, все дело в том, что стало мне известно лишь позднее, хотя существовало уже тогда?

Почему? Почему самые прекрасные события теряют задним числом свою прелесть, когда обнаруживается их подноготная? Почему воспоминания о счастливых годах супружества оказываются отравленными, когда выясняется, что у супруга на протяжении всех тех лет имелась любовница? Потому что якобы подлинное счастье при таком раскладе невозможно? Но ведь оно же было! Иногда воспоминания не могут сохранить своей верности пережитому счастью лишь потому, что его конец причинил нам страдание. Неужели счастье, чтобы стать подлинным, должно быть вечным? Разве страданием кончается только то, что было им всегда, хотя прежде боль не ощущалась и не осознавалась? Но что такое неосознанное и неощущаемое страдание?

Вспоминая прошлое, я вижу себя таким, каким был тогда. Я донашивал элегантные костюмы, которые достались мне из наследства богатого дядюшки вместе с несколькими парами двухцветных штиблет, черно-коричневых и черно-белых (замша и гладкая кожа). У меня были слишком длинные руки и слишком длинные ноги — не для костюмов, матери пришлось даже отпустить рукава и брюки, — а для того, чтобы как следует координировать собственные телодвижения. Оправа очков была самая дешевенькая, а волосы торчали непослушными патлами, что бы я с ними ни делал. Учился я не хорошо и не плохо; по-моему, многие учителя вообще толком не замечали меня, как и те из одноклассников, что задавали у нас тон. Мне не нравилось, как я выгляжу, одеваюсь, двигаюсь, не нравилось, как меня воспринимают другие и чего я добиваюсь сам. Зато сколько энергии таилось тогда во мне, сколько веры в то, что однажды меня оценят и поймут, насколько я недурен собой и неглуп, сколько надежд на новых людей и новые события.

Не в этом ли причина моей грусти? Не грущу ли я по юношеской пылкости, по безудержной вере в жизнь, хотя она ничего не могла мне обещать, да и не обещала? Иногда я вижу эту пылкость и эту веру в жизнь в лицах детей и подростков, что наполняет меня не меньшей грустью, чем воспоминания о собственном прошлом. Не сродни ли всякая грусть именно этой грусти? Не она ли овладевает нами всякий раз, когда, оглядываясь назад, мы разочаровываемся в прекрасных воспоминаниях, поскольку пережитое счастье состоит не только из некоего события, но и из обещаний, которые так и остались неисполненными?

Она же — пора называть ее Ханной, как я тогда и начал называть ее, — Ханна никогда не жила ожиданием, обещаниями, она жила сиюминутной реальностью, и только ею.

Когда я расспрашивал Ханну о ее прошлом, а она отвечала на мои вопросы, мне всегда казалось, будто ей приходится рыться в каком-то пыльном сундуке. Она выросла в Трансильвании, в семнадцать лет приехала в Берлин, работала на заводах Сименса, в двадцать один год попала в армию. После окончания войны зарабатывала на жизнь самыми разными занятиями. Теперешняя работа трамвайным кондуктором ей нравилась тем, что ей давали форму, день проходил в движении, за окном сменялись уличные картинки, под ногами крутились колеса. Больше ничего ей в работе не нравилось. Семьи у нее не было. Ей исполнилось тридцать шесть лет. Все это она рассказывала так, будто речь шла не о ее собственной жизни, а о жизни совершенно постороннего человека, даже не очень-то хорошо ей знакомого. Когда меня интересовали подробности, она часто не знала, что ответить, и не понимала, зачем мне знать, что стало с ее родителями, были ли у нее братья или сестры, как ей жилось в Берлине и что она делала в армии. «И все-то тебе хочется знать, малыш!»

Так же обстояло дело и с будущим. Разумеется, я не строил никаких планов насчет брака и семьи. Но меня больше увлекали взаимоотношения Жюльена Сореля с мадам де Реналь, чем с Матильдой де ла Моль. Да и Феликс Круль смотрелся, по-моему, в объятиях матери лучше, чем в объятиях дочери. Моя сестра, которая изучала германистику, как-то заговорила за обедом о спорах вокруг того, существовала ли любовная связь между Гёте и Шарлоттой фон Штайн, — все подивились моей горячности, с которой я отстаивал существование этой связи. Я пытался представить себе, как сложатся наши отношения через пять или десять лет. Спрашивал я и Ханну, как она их себе представляет. Она даже до Пасхи ничего не загадывала, мне же хотелось уехать с ней на пасхальные каникулы на велосипедах. Мы могли бы, выдавая себя за мать и сына, снять где-нибудь комнату и провести вместе целую ночь.

Странно, что мне пришла в голову такая идея. Ведь если бы я отправился в путешествие с собственной матерью, то обязательно настаивал бы на отдельной комнате. Мне казалось, что я уже перерос тот возраст, когда мать должна провожать меня к врачу, помогать купить пальто в магазине или встречать с поезда. Когда на улице нас с нею встречали мои одноклассники, я боялся, что они сочтут меня маменькиным сынком. Зато я мог бы смело показаться на улице вместе с Ханной, хотя она и сама почти годилась мне в матери, во всяком случае она была всего на десять лет моложе моей собственной матери. Я бы даже гордился тем, что мы идем вместе.

Сегодня тридцатишестилетняя женщина кажется мне молодой. А пятнадцатилетний мальчик представляется ребенком. Удивительно, какое чувство уверенности в самом себе придала мне Ханна. Мои школьные дела пошли успешнее, что не осталось незамеченным учителями, а их признание опять-таки укрепило мою уверенность. Заметили это и знакомые девочки, которым нравилось, что я в их присутствии не робею. Теперь не вызывало во мне неприязни и собственное тело.

Ярко высвечивая наши первые встречи с Ханной, сохраняя их подробности, моя память делается довольно расплывчатой по отношению к нескольким неделям, которые пришлись на промежуток между тем разговором и окончанием учебного года. Причиной этому служит, видимо, и регулярность наших свиданий, а также их похожесть. Кроме того, в моей прежней жизни никогда не было таких насыщенных событиями и впечатлениями, таких быстротечных дней. Если вспоминать о моих тогдашних занятиях, то мне кажется, будто я, однажды сев за стол, не встал из-за него, пока не наверстал всего, что пропустил за время желтухи, — не выучил всех иностранных слов, математических доказательств и химических формул. О Веймарской республике и Третьем рейхе я читал еще, пока болел. И все наши свидания кажутся мне одним-единственным долгим свиданием. После того разговора они происходили всегда во второй половине дня, с трех до половины пятого, а если смена кончалась позднее, то до половины шестого. В семь у нас дома ужинали, а Ханна не хотела, чтобы я опаздывал. Но впоследствии полутора часов нам уже не хватало, я начал придумывать всякие уловки и находил дома отговорки, почему не вернулся к ужину.

Все дело было в чтении. На следующий день после нашего разговора Ханна поинтересовалась, что мы сейчас проходим в школе. Я рассказал ей об эпосах Гомера, о речах Цицерона и о Хемингуэе, который написал историю про то, как один старик сражался с большой рыбой и с морем. Она захотела послушать, как звучат греческий и латынь, я прочитал ей кое-что из «Одиссеи», а также кусочек речи против Катилины.

— А немецкий ты тоже учишь?

— То есть?

— Ну, вы занимаетесь только иностранными языками или на родном языке тоже что-нибудь проходите?

— Да, кое-что читаем.

Пока я болел, в классе прошли «Эмилию Галотти», «Коварство и любовь», вскоре предстояло написать по ним сочинения. Мне полагалось все это читать, что я и делал, когда остальные уроки были уже готовы. Но бывало уже поздно, я сильно уставал, на следующий день почти ничего не помнил из прочитанного накануне, многое приходилось перечитывать.

— Почитай-ка мне!

— Сама можешь почитать, я принесу тебе книжки.

— У тебя такой красивый голос, малыш, мне будет приятней тебя послушать, чем читать самой.

— Ну, не знаю.

На следующий день, когда я прибежал к ней и хотел поцеловать ее, она отодвинулась.

— Сначала почитай.

Она говорила это всерьез. Пришлось битых полчаса читать ей вслух «Эмилию Галотти», прежде чем она забрала меня под душ, а потом пустила к себе в постель. Теперь я радовался душу. Пыл, с которым я прибегал к ней, утихал во время чтения. Ведь когда читаешь что-то вслух, то поневоле изображаешь нескольких действующих лиц, а это требует определенной сосредоточенности. Зато под душем прежний пыл возвращался ко мне. Чтение вслух, душ, занятия любовью, а потом еще немножко нежностей в постели — таков был теперь неизменный ритуал наших свиданий.

Она была очень внимательной слушательницей. По ее смеху, презрительному фырканью, гневным восклицаниям или просто отдельным репликам было ясно, с каким вниманием следит она за развитием сюжета, как было понятно и то, что Эмилию с Луизой она считает просто дурочками. Нетерпение, с которым она заставляла меня читать дальше, объяснялось отчасти ее надеждой, что их глупостям рано или поздно придет конец. «Ну, нету сил моих!»

Иногда мне и самому хотелось продолжить чтение. Дни сделались длиннее, я стал читать подольше, чтобы задержаться с ней в постели до сумерек. Когда она засыпала на мне, когда визг пилы во дворе умолкал, зато начинал петь дрозд, когда все цвета на кухне переставали различаться, оставались лишь светлые и темные пятна, я чувствовал себя совершенно счастливым.

10

В первый день пасхальных каникул я встал в четыре утра. У Ханны была утренняя смена. Она уезжала в четверть пятого на велосипеде в трамвайное депо, откуда в половине пятого шел трамвай до Швецингена. По пути туда, говорила она, вагон идет совершенно пустой и заполняется только на обратном пути.

Я сел в этот трамвай на второй остановке. Второй вагон был пустым, Ханна находилась вместе с вагоновожатым в первом. Я поначалу не мог сообразить, какой вагон выбрать — передний или задний, потом решил войти в задний. Здесь мы могли оказаться наедине, даже, возможно, обняться и поцеловаться. Но Ханна ко мне не пришла. Наверное, она увидела, как я стоял на остановке и заходил в вагон. Трамвай ведь не проехал мимо. Но она продолжала разговаривать с вагоновожатым, шутила с ним. Мне все было видно.

Следующую остановку трамвай проехал. Там никого не было. Улицы были безлюдными. Солнце еще не взошло, под белым небом все казалось в бледном свете белесым: дома, припаркованные машины, только что распустившиеся деревья, цветущие кусты, газоконденсатор, а вдали — горы. Трамвай шел медленно; наверное, он придерживался расписания, а поскольку остановки пропускались, то и приходилось замедлять ход. Я оказался как бы запертым в этом медленно движущемся вагоне. Сначала я сидел, затем пробрался вперед и уставился на Ханну; мне хотелось, чтобы она почувствовала спиной мой взгляд. Через какое-то время она стала оборачиваться и поглядывать на меня. При этом она продолжала разговаривать с вагоновожатым. Трамвай шел дальше. За Эппельхаймом рельсовый путь был проложен не по улице, а рядом, на щебеночной насыпи. Трамвай двинулся побыстрее, его колеса принялись равномерно постукивать, будто мы ехали по железной дороге. Я знал, что маршрут минует еще несколько станций и закончится в Швецингене. У меня возникло чувство, будто меня вытолкнули из обычного мира, где люди живут, работают, любят друг друга. Я казался себе обреченным на бесцельные и бесконечные скитания в пустом вагоне.

Тут я увидел остановку, павильончик среди поля. Я дернул за шнур, с помощью которого кондуктор сообщает вагоновожатому, что надо остановиться или трогаться дальше. Трамвай остановился. Ни Ханна, ни вагоновожатый не обернулись на мой звонок. Когда я выходил из вагона, мне показалось, что они с улыбкой смотрели на меня. Впрочем, я не был уверен. Трамвай поехал, я глядел ему вслед, пока он не скрылся сначала в низинке, затем за холмом. Я стоял между щебеночной насыпью и дорогой, кругом были поля, росли фруктовые деревья, поодаль виднелось садоводческое хозяйство с теплицами. Было свежо. Щебетали птицы. Белое небо над горами зарозовело.

Трамвайная поездка была похожа на дурной сон. Если бы последующие события не запечатлелись в моей памяти с необычайной четкостью, я действительно посчитал бы ее дурным сном. А то, как я стоял на трамвайной остановке, слушал птиц, глядел на восход солнца, походило на пробуждение. Впрочем, пробуждение от дурного сна не всегда приносит с собою облегчение. Иногда, лишь пробуждаясь, осознаешь весь ужас кошмара или то, что во сне тебе открылась ужасная правда. Я пошел домой, из глаз у меня текли слезы, я перестал плакать, лишь когда добрался до Эппельхайма.

Всю дорогу до дома я шел пешком. Раз-другой пытался остановить попутную машину. На полпути меня догнал трамвай. Он был полон. Ханну я не увидел.

Я ждал ее в полдень на ступеньках лестницы перед квартирой, расстроенный, испуганный и разозленный.

— Опять прогуливаешь?

— У меня каникулы. Что с тобой было утром? — Она открыла дверь, я шагнул через порог, прошел за Ханной на кухню.

— А что, собственно, произошло утром?

— Почему ты сделала вид, будто мы не знакомы? Ведь я хотел...

— Я сделала вид? — Она повернулась ко мне, посмотрела на меня, глаза ее были холодны. — Это ты сделал вид, будто не знаешь меня. Вошел в задний вагон, хотя заметил, что я еду в переднем.

— А как ты думаешь, зачем это я в первый день каникул, да еще в половине пятого, решил ехать в Швецинген? Я же хотел сделать тебе сюрприз. Думал, ты обрадуешься. А в задний вагон...

— Бедный мальчик. Встал в половине пятого, да еще в каникулы. — Еще никогда ее голос не звучал с такой иронией. Она качнула головой. — Откуда

48

мне знать, зачем ты едешь в Швецинген? Откуда мне знать, почему ты меня узнавать не желаешь? Это твое дело. А теперь — ступай.

Даже не могу передать, до чего я возмутился.

— Это нечестно, Ханна. Ты же поняла, не могла не понять, что я хотел поехать с тобой. Как же ты могла подумать, будто я не желаю тебя узнавать? Разве я в таком случае поехал бы с тобой?

— Оставь меня в покое. Я тебе уже сказала, что все это твои дела, меня они не касаются. — Она встала так, что кухонный стол оказался между нами; ее глаза, голос, жесты гнали меня прочь, будто я был незваным гостем.

Я сел на кушетку. Она поступила со мной плохо, я хотел заставить ее объясниться. Но у меня ничего не получилось. Наоборот, она сама накинулась на меня с упреками. Я почувствовал неуверенность. Может, она по-своему права? Может, она и должна была посмотреть на все это именно так, а не иначе? Может, я невольно, совершенно того не желая, обидел ее?

— Мне очень жаль, Ханна. Глупо как-то все получилось. Я не хотел тебя обидеть, а вот вышло, похоже, что...

— Похоже? Похоже, по-твоему, что ты меня обидел? Да не можешь ты меня обидеть, только не ты. Уйдешь ты наконец? Я устала, хочу вымыться, хочу отдохнуть. Оставь меня в покое.

Она вопросительно взглянула на меня. Я остался сидеть на кушетке, тогда она пожала плечами, отвернулась, пустила воду в ванну и принялась раздеваться.

Я встал и ушел. Мне казалось, что я ушел от нее навсегда. Но уже через полчаса я вновь стоял перед ее квартирой. Она впустила меня, и я взял всю вину на себя. Да, был глуп, эгоистичен, бессердечен. Да, обидел ее. Нет, не обидел, потому что мне ее обидеть никогда не удастся. Не мог ее обидеть, потому что она мне этого никогда не позволит. В конце концов я был счастлив, так как она призналась, что все-таки обиделась. Значит, она только делала вид, будто совсем уж безразлична и безучастна по отношению ко мне.

— Ты меня простила?

Она кивнула.

— Ты любишь меня?

Она опять кивнула.

— Ванна еще полная. Давай-ка я тебя искупаю.

Позднее я спрашивал себя, не оставила ли она воду нарочно, так как знала, что я вернусь. И не принялась ли она нарочно раздеваться, так как знала, что это засядет у меня в голове и заставит возвратиться. Не хотела ли просто выиграть эту игру, чтобы показать свою власть надо мной. Мы занимались любовью, потом просто лежали рядом, и я рассказывал ей, почему вошел в задний, а не в передний вагон, она поддразнивала меня: «Ты и в трамвае готов этим заниматься? Ах, малыш, малыш!» Словом, повод для нашей размолвки вроде бы потерял всякое значение.

Однако значимым остался итог. Я просто проиграл тогда. Краткого столкновения, угрозы оказаться отвергнутым было вполне достаточно для моей капитуляции. В последующие недели я даже не пытался бороться. Я безоговорочно капитулировал при малейшей угрозе с ее стороны. Я тотчас принимал на себя любую вину. Признавал ошибки, которых не совершал, раскаивался в намерениях, которых никогда не имел. Когда она проявляла суровость, холодность, я начинал умолять ее все простить и снова любить меня. Иногда мне чудилось, что она сама страдает от собственной холодности и суровости. Что ей хочется тепла, пусть даже оно проявляется в виде извинений, просьб, увещеваний. А иногда мне казалось, что ей просто нравится властвовать надо мной. Так или иначе — выбора мне не оставалось.

Я не мог поговорить с ней об этом. Разговор о наших ссорах привел бы лишь к новой ссоре. Пробовал сочинять ей длинные письма. Но она на них никак не отвечала, а когда я задал прямой вопрос, сказала только:

— Опять начинаешь?

11

Не скажу, что после того первого дня пасхальных каникул мы с Ханной не были счастливы. Наоборот, мы никогда раньше не чувствовали себя такими счастливыми, как в эти апрельские дни. При всех странностях нашей первой размолвки и вообще наших размолвок все остальные части нашего обычного ритуала — чтение вслух, душ, занятие любовью, разговоры в постели — действовали на нас благотворно. Кроме того, она сама загнала себя в ловушку упреком, будто я сделал вид, что не знаю ее. «Ты не хотел, чтобы нас видели вместе», — этого ей говорить не следовало. Сразу после Пасхи мы уехали с ней на четыре дня на велосипедах в Вимпфен, Аморбах и Мильтенберг.

Уже не помню, что я наврал родителям. Сказал, будто еду с моим приятелем Маттиасом? Выдумал групповую экскурсию? Или сказал, что собираюсь навестить бывшего одноклассника? Вероятно, мать, как всегда, беспокоилась, а отец, как всегда, говорил ей, что для беспокойства нет причины. Разве я не закончил с успехом учебный год, чего от меня никто не ожидал?

За время болезни я не тратил карманных денег. Но их все равно бы не хватило, чтобы платить в дни поездки за Ханну. Пришлось отнести мою коллекцию марок в филателистический магазинчик возле церкви Святого Духа. Это был единственный филателистический магазин, на дверях которого висело объявление о покупке коллекций. Хозяин полистал мои альбомы и предложил шестьдесят марок. Я обратил его внимание на гордость моей коллекции, прямоугольную египетскую марку с пирамидой, стоившую по каталогу не меньше четырехсот марок. Хозяин лишь пожал плечами. Если я так дорожу коллекцией, лучше оставить ее у себя. Кстати, имею ли я вообще право ее продавать? Что скажут родители? Я пробовал торговаться. Если марка с пирамидой не такая ценная, я оставлю ее себе. Но за альбомы без нее хозяин давал всего тридцать марок. Значит, она все-таки ценная? В конце концов я получил семьдесят марок. Чувствовал, что обманут, но мне было все равно.

Накануне поездки волновался не только я. К моему удивлению, Ханна за несколько дней до нашего путешествия тоже занервничала. Она принялась собирать вещи, упаковывала и опять распаковывала велосипедную сумку и рюкзак, которые я ей достал. Я пытался объяснить ей по карте придуманный мною маршрут, но она не захотела ни слушать объяснений, ни смотреть на карту. «Я сейчас слишком волнуюсь. Ты уж сам разберись, малыш».

Мы выехали в пасхальный понедельник. Светило солнышко, оно светило нам все четыре дня. Утром было прохладно, зато днем теплело — становилось не слишком жарко для велосипедной прогулки, но достаточно тепло для пикников. Леса казались зеленым ковром с просветами, пятнами, прогалинами всех оттенков этого цвета от желтоватого до салатного, сине-зеленого и темно-зеленого. В долине Рейна уже цвели первые фруктовые деревья. В Оденвальде распустились розы.

Довольно часто нам удавалось ехать рядом. Тогда мы показывали друг другу то, что открывалось по сторонам: старый замок, рыбаков с удочками, плывущий по реке пароход, туристскую палатку, растянувшееся гусиным маршем по берегу семейство, шикарный американский лимузин с открытым верхом. На развилках дорог я уезжал вперед. Она не хотела разбираться с определением маршрута. В остальном же, особенно если движение на шоссе становилось интенсивным, мы чередовались — иногда я ехал за ней, иногда она за мной. У нее был велосипед с металлическим кожушком, который закрывал шестеренку передач и часть цепи. На ней было синее платье с широкой юбкой, которая плескалась на ветру. Мне понадобилось некоторое время, чтобы перестать беспокоиться, что она упадет, если платье зацепится за спицы или шестеренку. Потом мне даже нравилось, когда она ехала впереди.

Как я ждал этих ночей. Я мечтал, что мы будем любить друг друга, засыпать, просыпаться, опять любить, снова засыпать и вновь просыпаться, каждую ночь. Но проснулся я только однажды в первую ночь. Она лежала спиной ко мне, я склонился над ней, поцеловал, она повернулась на спину, приняла и обняла меня. «Малыш мой». Я заснул на ней. Потом мы спали ночи напролет, утомленные дорогой, ветром и солнцем. Мы любили друг друга утром.

Ханна предоставляла мне выбирать дорогу. Я же выбирал и гостиницы для ночлега, регистрировал нас матерью и сыном, ей оставалось лишь расписываться; даже меню я заказывал не только себе, но и ей. «Мне нравится, когда можно самой ни о чем не беспокоиться».

Единственная наша ссора произошла в Аморбахе. Проснувшись рано утром, я потихоньку оделся и вышел из комнаты. Мне хотелось принести ей завтрак в номер, а заодно посмотреть, не открылась ли поблизости цветочная лавка, где можно было бы купить для Ханны розу. На всякий случай я оставил на ночном столике записку. «Доброе утро! Пошел за завтраком, скоро вернусь». Или что-то в этом роде. Когда я возвратился, она стояла в комнате с бледным лицом, полуодетая, дрожащая от гнева.

— Как ты мог уйти, не предупредив?

Я поставил поднос с розой и завтраком на стол, хотел обнять ее.

— Ханна...

— Не трогай меня.

В руках у нее был узкий ремешок, которым она подпоясывала платье; она сделала шаг назад, размахнулась и ударила меня ремешком по лицу. Я почувствовал кровь на губе. Больно не было. Я только ужасно испугался. Она размахнулась снова.

Но на этот раз она меня не ударила. Рука ее повисла, ремешок выпал, она заплакала. Я никогда еще не видел ее плачущей. Лицо ее расплылось. Широко раскрытые глаза, раскрытый рот, веки сразу же опухли, на щеках и на шее выступили красные пятна. Послышались какие-то всхлипывающие, гортанные звуки, похожие на сдавленный крик, который она издавала, когда мы занимались любовью. Она стояла и смотрела на меня сквозь слезы.

Мне надо было бы обнять ее. Но я не мог. Я просто не знал, что делать. У нас дома никто так не плакал. И никто не бил — ни рукой, ни тем более ремнем. Дома при ссорах пытались объясниться. А что я мог тут сказать?

Она сделала два шага, бросилась мне на грудь, принялась бить кулачками, затем вцепилась в меня. Теперь я мог обнять ее. Ее плечи вздрагивали, она уткнулась лбом в мою грудь. Наконец она глубоко вздохнула и прижалась ко мне.

— Будем завтракать? — Она откинула голову. — Боже мой, малыш, ну и вид у тебя. — Своим мокрым платком она вытерла мне губы и подбородок. — Вся рубашка в крови. — Она сняла с меня рубашку, затем брюки, потом разделась сама, и мы снова любили друг друга.

— Что с тобой случилось? Почему ты разозлилась?

Мы лежали рядом, такие умиротворенные и такие счастливые, что я думал — сейчас она мне все объяснит.

— Как — что случилось? Вечно у тебя глупые вопросы. Нельзя же уходить без предупреждения.

— Но ведь я оставил тебе записку...

— Записку?

Я сел. На ночном столике, куда я положил записку, ее уже не было. Я встал, поискал записку под столиком и рядом, под кроватью, в кровати. Записки нигде не было.

— Ничего не понимаю. Я оставил тебе записку, что пошел за завтраком и скоро вернусь.

— Разве? Не вижу никакой записки.

— Ты мне не веришь?

— Я бы поверила, но записки-то нет.

Больше мы не спорили. Может, записку ветер сдул и она где-нибудь затерялась? Неужели все это было просто недоразумением — ее ярость, моя разбитая губа, ее страдальческое лицо, моя беспомощность?

Может, надо было все-таки найти записку, которая стала причиной ярости Ханны, причиной моей беспомощности?

— Лучше почитай мне, малыш!

Она прижалась ко мне, а я достал книжку Эйхендорфа «Из жизни одного бездельника» и раскрыл ее там, где мы закончили в последний раз. «Бездельник» читался лучше, чем «Эмилия Галотти» или «Коварство и любовь». Ханна слушала меня с напряженным вниманием. Ей нравились стихи, вкрапленные в прозаический текст. Нравились все эти переодевания, интриги, приключения, которые выпали в Италии на долю героя. Правда, она осуждала его тунеядство, то, что он не работает, ничего не умеет и ничему не хочет учиться. Ее обуревали противоречивые чувства, но сама история увлекала, и она могла через несколько часов после чтения вдруг спросить: «Значит, таможенник считался плохой профессией?»

Рассказ о нашей ссоре опять получился таким подробным, что надо дополнить его рассказом о нашем счастье. Ссора сблизила нас. Я увидел ее плачущей, и эта Ханна была мне ближе, чем та Ханна, которая всегда была сильной. Она открылась мне со своей нежной стороны, которая прежде была мне неведома. Она все время разглядывала мою разбитую губу и ласково прикасалась к ней, пока губа не зажила окончательно.

Теперь мы и любили друг друга иначе. Раньше я уступал инициативу ей, она владела мною. Потом и я научился владеть ею. Во время нашей поездки это чувство владения пропало и уже больше не появлялось.

У меня сохранилось стихотворение, написанное тогда. Стихотворение так себе. Я увлекался в ту пору Рильке и Бенном, и сейчас мне отчетливо видно мое подражательство. Но вижу я и то, как близки мы были с Ханной тогда друг другу. Вот эти стихи:

Мы открываемся друг другу,
ты мне и я тебе,
мы погружаемся друг в друга,
ты в меня, я в тебя,
мы растворяемся друг в друге,
ты во мне, я в тебе.

Только в эти мгновенья
я — это я,
ты — это ты.

12

Если я и забыл, что именно врал родителям, чтобы совершить поездку с Ханной, то хорошо помню, какую цену мне пришлось заплатить, чтобы остаться дома одному в последнюю неделю каникул. Теперь уж я и не знаю, куда собрались тогда уехать родители, старший брат и старшая сестра. Проблема заключалась в младшей сестре. Предполагалось, что она отправится пожить в семье своей подруги, но поскольку я оставался дома, то и она решила остаться. Однако родителям это не понравилось. Тогда пришлось и мне говорить, что я буду жить в семье приятеля.

Оглядываясь назад, не могу не подивиться великодушию моих родителей, которые позволили мне, пятнадцатилетнему, остаться дома одному на целую неделю. Может, они почувствовали ту самостоятельность, которая окрепла во мне благодаря встречам с Ханной? Или же решили, что раз уж я, несмотря на затяжную болезнь, сумел успешно закончить учебный год, то стал ко всему относиться ответственнее, а потому заслуживаю большего доверия, чем прежде? Кстати, не припоминаю, чтобы они требовали у меня отчета за многие часы отсутствия, которые я проводил у Ханны. Судя по всему, они довольствовались предположением, что я, наконец выздоровев, хотел побольше заниматься с друзьями, пообщаться с ними. Кроме того, четверо детей — это же целая орава, тут внимание родителей не может уделяться всем сразу, а сосредоточивается на том ребенке, который на данный момент требует больше всего забот. Я слишком долго обременял моих родителей заботами, поэтому они почувствовали значительное облегчение, когда я выздоровел и перешел в следующий класс.

Я спросил сестру, чего она хочет от меня за то, чтобы я остался один, а она отправилась бы к подруге; она сказала — джинсы (мы тогда называли их «блюджинсами») и бархатный пуловер. Желание вполне понятное. Джинсы еще считались чем-то особенным, шикарным, к тому же ей до смерти надоели костюмы в елочку и платья в крупный цветок. Ведь если мне приходилось донашивать дядины вещи, то она донашивала после старшей сестры. Вот только денег у меня не было.

— А ты укради! — Младшая сестра равнодушно взглянула на меня.

Все вышло на удивление просто. Я перемерял несколько пар, захватил в кабинку и джинсы ее размера, засунул их за пояс моих широченных брюк и вынес под пиджаком из магазина. Пуловер я украл в универмаге. Накануне мы зашли с сестрой в отдел модного готового платья, осмотрели несколько секций, выбрали пуловер. На следующий день я решительным шагом прошел по отделу, схватил пуловер, сунул его под пиджак и выскочил на улицу. В тот же день я украл для Ханны шелковую ночную рубашку, меня заметил охранник универмага, я бросился бежать что было сил, едва ноги унес.

Потом я несколько лет не решался зайти в этот универмаг.

После тех ночей, которые мы провели вместе во время нашего путешествия, я каждую ночь скучал по Ханне, мне хотелось почувствовать ее тепло, прижаться животом к ее ягодицам, грудью к ее спине, положить руку на ее грудь, мне хотелось, проснувшись ночью, нащупать ее рукой, коснуться ногами ее ног, уткнуться лицом ей в плечо. Неделю дома один — это целых семь ночей вместе с Ханной.

Как-то вечером я пригласил ее к себе на ужин. Она ждала на кухне, пока я возился с последними приготовлениями. Стояла в проеме между столовой и гостиной, пока я накрывал на стол. Сидела за круглым столом на том месте, которое обычно занимал отец. Оглядывалась по сторонам.

Ее внимательный взгляд скользил по нашей мебели в стиле бидермайер, по роялю, по старинным напольным часам, по картинам, книжным полкам, по сервизу и столовым приборам. Вернувшись с кухни, куда я ходил за десертом, за столом я ее не застал. Пройдясь по комнатам, она остановилась в отцовском кабинете. Я потихоньку смотрел на нее, прислонившись к дверному косяку. Взгляд ее блуждал по книжным полкам, занимавшим всю стену, словно она читала какой-то текст. Шагнув к одной из полок, она подняла на уровень груди правую руку и медленно провела указательным пальцем по корешкам книг, затем шагнула к следующей полке и вновь провела пальцем по книжным корешкам, касаясь каждого из них; так она обошла весь кабинет. У окна она остановилась, вглядываясь в свое отражение и отразившиеся в стекле книжные стеллажи.

Это одна из картин, в каких мне запечатлелась Ханна. Я храню ее в памяти и могу по своему желанию вызвать эту картину на свой внутренний экран, чтобы рассматривать ее, неизменную, нетускнеющую. Иногда я подолгу не вспоминаю Ханну. Но моя память всегда возвращается к ней, тогда я вызываю на свой внутренний экран ту или иную картину, иногда несколько разных, одну за другой, и внимательно всматриваюсь в них. На одной картине — Ханна надевает на кухне чулки. На другой — Ханна стоит перед ванной с махровым полотенцем в руках. Есть и еще одна картина — Ханна едет на велосипеде, и ее платье плещется по ветру. И наконец — Ханна в отцовском кабинете. На ней синее платье в белую полоску, так называемое платье-блуза, модное в те времена. Это платье очень молодит ее. Она трогает пальцем корешки книг, смотрит в окно. Затем она поворачивается ко мне, поворачивается так быстро, что юбка взлетает и опадает снова. Глаза у нее усталые.

— Твой отец все эти книги только читал или некоторые сам написал?

Я знал, что отец написал книгу о Канте и еще одну о Гегеле; я нашел их и протянул Ханне.

— Прочти мне что-нибудь отсюда, малыш. Или не хочется?

— Я...

Мне действительно не хотелось, но и отказать я ей не мог. Выбрав отцовскую книгу о Канте, я прочел кусочек, что-то об аналитике и диалектике, чего ни Ханна, ни я не поняли.

— Хватит?

Она взглянула на меня, будто ей все понятно или же вообще не важно, понятен текст или нет.

— Ты тоже будешь писать такие книги?

Я покачал головой.

— Другие будешь писать?

— Не знаю.

— Или будешь писать пьесы?

— Не знаю, Ханна.

Она кивнула. Потом мы съели десерт и пошли к ней. Мне хотелось, чтобы мы легли спать в моей постели, но она не согласилась. Она чувствовала себя у нас непрошеным гостем. Она этого не сказала, но я увидел это по тому, как она стояла в кухне у двери, как ходила по комнатам, как разглядывала отцовские книги и как сидела со мной за ужином.

Я подарил ей шелковую ночную рубашку. Она была баклажанного цвета, длиной до щиколоток, с тоненькими бретельками. Шелк поблескивал, переливался. Ханна очень обрадовалась, она даже вся просияла, заулыбалась. Примерив рубашку, она подошла к зеркалу, сделала несколько танцевальных па, принялась разглядывать свое отражение, сделала еще несколько па. Эту картину я тоже запомнил.

13

Начало учебного года всегда представлялось мне некой цезурой. Переход со средней гимназической ступени на старшую воспринимался как особенно значительная перемена. Мой класс был расформирован и поделен между тремя параллельными классами. Многие из ребят не смогли перейти на старшую ступень, поэтому из четырех маленьких классов получились три больших.

В мою гимназию долгое время принимали только мальчиков. Когда стали принимать девочек, то поначалу их было очень мало; их нельзя было распределить по параллельным классам равномерно, поэтому сперва их собрали в одном классе, затем в двух и наконец в трех, так что они составляли около трети общего числа учеников. На четвертый класс — мой старый класс — девочек не хватало. У нас учились только мальчики, что также послужило причиной нашего роспуска и распределения по другим классам.

Мы узнали об этом лишь перед самым началом занятий. Собрав нас в одной из классных комнат, ректор объявил, кто и куда распределен. Вместе с другими шестью соучениками я прошел по пустому коридору в новый класс. Нас рассадили на свободные места, мне достался второй ряд. Места были одиночными, но располагались они попарно в три колонны. Мое место было в средней. Слева от меня сидел Рудольф Барген, ученик из моего прежнего класса, толстый, спокойный, хороший шахматист и надежный хоккеист; раньше я с ним почти не общался, а теперь мы быстро подружились. Справа, через проход, сидели девочки.

Мою соседку звали Софи. Она была кареглазой шатенкой, по-летнему загорелой, с золотистыми волосками на руках. Когда я, заняв свое место, огляделся по сторонам, она мне улыбнулась.

Я улыбнулся в ответ. Мне здесь нравилось, я радовался тому, что попал в новый класс и что буду учиться с девочками. Еще раньше, в средней ступени, я видел по своим соученикам, что, независимо от наличия или отсутствия девочек в их классах, они боялись девочек, избегали их, а то, наоборот, ужасно задавались или относились к ним с романтическим обожанием. Я же знал женщин, мог относиться к ним ровно, по-дружески. Девочкам это нравилось. Я был уверен, что сумею с ними в новом классе поладить и, следовательно, найду общий язык с ребятами.

Может, так бывает со всеми? В юности я всегда чувствовал себя либо очень неуверенно, либо был слишком самоуверен. Я казался себе ни на что не способным, неинтересным, не заслуживающим внимания либо, наоборот, считал, что все у меня в порядке и все должно получаться. Если я чувствовал уверенность в себе, то мог справиться с весьма серьезными проблемами. Но малейшая неудача заставляла думать о моей ничтожности. Чтобы вернуть прежнюю уверенность в себе, одного успеха было недостаточно; никакой успех не мог идти в сравнение с тем, каких достижений я ожидал от себя и какого восхищения собою — от других; пожалуй, высокомерие или самоуничижение зависели просто от моего общего настроения. В те месяцы мне было хорошо с Ханной, несмотря на наши размолвки и на то, что она нередко третировала и обижала меня. Поэтому летние занятия в новом классе начались для меня хорошо.

Как сейчас вижу перед собою нашу классную комнату. Справа впереди дверь. На правой стене деревянная планка с вешалками для одежды; слева окна с видом на Хайлигенберг, и когда мы подходили к ним на переменах, то видели набережную, реку, противоположный берег с его лугами; впереди находились доска и стойка для географических карт, а также — на небольшом помосте — учительская кафедра и стул. До уровня моего роста стены были выкрашены масляной краской в светло-желтый цвет, выше — в белый; с потолка свисали две матовые круглые лампы. В классе не было ничего лишнего: ни картин, ни растений, ни свободной парты, ни шкафа с какими-нибудь забытыми книгами, тетрадями или цветными мелками. Если я, отвлекаясь, хотел поглазеть по сторонам, то взгляд мой либо уходил к окнам, либо косил украдкой к соседке или соседу. Когда Софи перехватывала мой взгляд, она поворачивалась ко мне и улыбалась.

— Берг, хотя София и греческое имя, но это еще не основание для того, чтобы на уроке греческого вы смотрели на соседку, а не в учебник. Переведите-ка лучше следующий отрывок!

Мы переводили «Одиссею». Я до этого читал поэму по-немецки, любил ее и люблю до сих пор. Когда очередь переводить доходила до меня, обычно мне хватало нескольких секунд, чтобы сориентироваться. Но тут, после того как учитель поддел меня и класс перестал наконец смеяться, я забормотал что-то совсем невпопад. Что-то о белорукой и девственной Навсикае, на бессмертных похожей ростом и видом, — может, я слишком задумался о Ханне или Софи? Во всяком случае, об одной из них.

14

Когда у самолета отказывает мотор, это еще не конец полета. Самолет не падает камнем с неба. Огромный реактивный пассажирский лайнер с несколькими двигателями планирует от четверти до получаса и разбивается лишь при попытке совершить посадку. Пассажиры могут даже ничего не заметить. Полет с отказавшим двигателем выглядит для них точно так же, как и с исправным. Только тише становится, да и то не очень. Гул мотора сменяется ревом ветра, который бьется о крылья и фюзеляж. Рано или поздно через иллюминатор становится видна угрожающая близость земли, моря. Но, допустим, в салоне показывают фильм, а стюардессы опустили на иллюминаторах шторки. Тогда этот полет может даже показаться покойным и приятным.

Лето и было для нашей любви таким планирующим полетом. Точнее, это относилось к моей любви; что касается Ханны и ее любви ко мне, то тут мне ничего не известно.

Мы сохранили наш ритуал чтения, ополаскивания под душем, занятия любовью и разговоров в постели. Я прочитал вслух роман «Война и мир» со всеми рассуждениями Толстого об истории, великих людях, России, о любви и браке; на это ушло часов сорок или пятьдесят. Ханна опять напряженно следила за развитием сюжета. Но сейчас она вела себя иначе, чем прежде; теперь она воздерживалась от оценок, так как не считала Наташу, Андрея или Пьера частью собственного мира, как это было с Луизой и Эмилией, а входила в чужой мир, словно совершая дальнее путешествие или осмотр замка, в который ее пустили, дали возможность оглядеться, даже пообвыкнуться, отчего, впрочем, чувство некой робости исчезло не совсем. Прежние книги, которые я читал ей, были мне до этого уже знакомы. А тут и для меня книга оказалась новой. Мы отправились в дальнее путешествие вместе.

Мы давали друг другу ласковые прозвища. Она уже не называла меня только малышом, а придумывала что-нибудь другое, нередко снабжая новое имя еще и каким-либо эпитетом, в ход шли лягушонок и квакушка, песик, даже камушек и розанчик. Я же довольно долго звал ее просто Ханной, пока она однажды не спросила меня: «Если ты закроешь глаза и обнимешь меня, какое животное придет тебе в голову? На кого я похожа?» Закрыв глаза, я попытался представить себе различных животных. Мы лежали, тесно прижавшись друг к другу, головой я уткнулся ей в шею, моя шея касалась ее груди, правая рука лежала на ее спине, а левая на ее ягодице. Я провел ладонью по ее широкой спине, упругим бедрам, ягодицам, прислушался к тому, как ощущаю своей шеей и грудью ее груди и живот. Кожа ее была гладкой, нежной, а тело казалось крепким, сильным. Когда моя ладонь коснулась ее лодыжки, я почувствовал подрагивание мышц. Это напомнило мне, как подрагивает телом лошадь, чтобы прогнать мух.

— Ты похожа на лошадь.

— На лошадь?

Отпрянув, она села и уставилась на меня. В глазах был едва ли не ужас.

— Тебе не нравится? Я ведь сказал это потому, что тебя так приятно трогать, кожа у тебя нежная и гладкая, а тело крепкое и сильное. И потом у тебя мышцы на лодыжке подергиваются.

Ханна посмотрела на собственную лодыжку.

— Лошадь?.. — Она покачала головой. — Даже не знаю, что сказать.

Это было совсем не в ее духе. Обычно у нее все бывало очень определенным — либо одобрение, либо осуждение. Разглядев ужас в ее взгляде, я приготовился, если понадобится, тотчас взять свои слова назад, во всем раскаяться и попросить прощения. Но сначала попробовал примирить ее с мыслью о лошади.

— Я мог бы назвать тебя скакуньей или кобылкой, сказать «шеваль», «эквин» или Буцефальчик. Я ведь не думаю при этом о лошадиной челюсти, конском черепе или о чем-нибудь, что тебе бы не понравилось, я думаю о чем-то хорошем, теплом, нежном и сильном. Ты не похожа на кошку или тигрицу, в них есть что-то злое, а ты не такая.

Она откинулась на спину, положила руки под голову. Теперь сел и я, посмотрел на нее. Ее взгляд был устремлен в пустоту. Через некоторое время Ханна повернулась ко мне. Она сказала с какой-то неизвестной мне прежде сердечностью:

— Пожалуй, мне нравится, что ты называешь меня лошадью или как там еще... Ты объяснишь мне потом те слова?

Однажды мы ездили вместе в соседний город, чтобы посмотреть там в театре «Коварство и любовь».

Ханна впервые была в театре, все у нее вызвало восхищение — от самого спектакля до шампанского в антракте. Я держал ее за талию, мне было совершенно безразлично, что о нас могли подумать другие. Я даже гордился, что мне это безразлично. Впрочем, я знал, что в нашем городе это было бы совсем не так. Интересно, понимала ли это она?

Во всяком случае, она понимала, что летом моя жизнь состояла не только из визитов к ней, из школы и занятий. Все чаще, навещая ее по вечерам, я приходил прямо с пляжа. Там я встречался с приятелями, одноклассниками, там мы делали уроки, играли в карты, футбол и волейбол, флиртовали. На пляже проходила, так сказать, общественная и светская жизнь нашего класса, и для меня было важно участвовать в ней. В зависимости от того, как работала Ханна, я уходил с пляжа раньше или позже остальных. Но я знал, что это не только не вредит моему авторитету, напротив, делает меня даже интереснее для других. Знал я и то, что ничего особенного в мое отсутствие произойти не может, однако порой возникало такое чувство, будто я пропускаю события невесть какой важности. Я долго не решался задать себе вопрос, где мне больше нравилось проводить время — на пляже или с Ханной. В июле ребята отмечали на пляже мой день рождения, долго не хотели меня отпускать, а Ханна встретила меня усталой и раздраженной. Она ничего не знала о моем дне рождения. Однажды я спросил о ее дне рождения, Ханна назвала мне двадцать первое октября, сама же моим не поинтересовалась. В этот день она была не более раздраженной, чем обычно, когда приходила усталой. Но меня ее плохое настроение томило, мне хотелось уйти, вернуться на пляж к ребятам, к моим сверстникам и сверст-

велика, чтобы рассказывать им о Ханне. Потом как-то не находилось случая, к тому же я не мог подобрать подходящих слов. Наконец стало уже слишком поздно рассказывать о ней так, будто это всего лишь одна из обычных ребяческих тайн. Если признаться только теперь, уговаривал я себя, то возникнет неверное впечатление, что я так долго молчал о Ханне, потому что вижу в наших отношениях что-то порочное и у меня нечиста совесть. Но чем бы я себя ни обманывал, я отчетливо сознавал, что предаю Ханну, ибо, рассказывая друзьям обо всех важных событиях моей жизни, о Ханне — умалчиваю.

Они чувствовали, что я не вполне откровенен, и это лишь еще более осложняло мое положение. Однажды вечером мы с Софи попали в грозу; это было в районе Нойенхаймер-Фельд, где тогда вместо нынешнего университета были лишь поля, сады и огороды. Гремел гром, мелькали молнии, гудел ветер, падал плотный, тяжелый ливень; мы спрятались под навес садового павильона. Сильно похолодало, градусов до пяти. Мы продрогли, я обнял Софи.

— Скажи... — Она глядела не на меня, а куда-то в дождь.

— Что?

— Ты долго болел желтухой. Тебя это до сих пор беспокоит? Может, ты боишься, что до конца не выздоровел? Что врачи говорят? Тебе надо каждый день в больницу, на переливание крови или на процедуры?

Выходит, Ханна — это что-то вроде моей болезни. Мне стало стыдно. Но и рассказать о ней я не мог.

— Нет, Софи, я уже не болен. И печень в порядке, скоро можно будет даже вино пить, только я не хочу. У меня другая... — Речь шла о Ханне, поэтому мне не хотелось произносить слово «проблема». —

Да, я ухожу раньше или задерживаюсь, но совсем по другой причине.

— Ты не хочешь говорить об этом или хочешь, но не знаешь, как сказать?

Не хочу или не знаю, как сказать? Я даже не знал, что ответить. Мы стояли среди блеска молний, среди оглушительных и близких раскатов грома, среди ливня, мы мерзли и пытались согреть друг друга, — так или иначе, я почувствовал, что ей, именно ей не стоит рассказывать о Ханне.

— Возможно, я смогу тебе все объяснить в другой раз.

Но другого случая не представилось.

16

Я так никогда и не узнал, чем занималась Ханна, когда она не работала, а я не приходил. Если я об этом спрашивал, она уклонялась от ответа. У нас не было с ней общей жизни, а в своей жизни она отвела мне некое определенное место, которым приходилось довольствоваться. Если я хотел отвоевать себе большее пространство или хотя бы побольше узнать, то получал отпор. Когда мы были особенно счастливы и мне казалось, что теперь все возможно и все позволено, я пытался ее расспрашивать, но и тогда она если не отмалчивалась, то уходила от моих вопросов. «И все-то тебе надо знать, малыш». Иногда она начинала считать, загибая пальцы: «Надо постирать, погладить, вытереть пыль, подмести пол, сходить в магазин, приготовить обед, обтрясти сливы, собрать их, отнести домой и сварить варенье, быстро-быстро, а то малыш, — она брала левый мизинец большим и указательным пальцами левой руки, — а то малыш все съест».

Я ни разу не встретил ее случайно на улице, в магазине или в кино, куда она, по ее словам, часто и с удовольствием ходила. В первые месяцы мне хотелось пойти в кино вместе, но она возражала. Порою мы обсуждали фильмы, которые видели оба. Она была на удивление неразборчива, смотрела все — от немецких военных и деревенских фильмов до американских вестернов и даже французской «новой волны», я же предпочитал голливудские фильмы, не важно, где происходило действие — в Древнем Риме или на Диком Западе. Нам обоим очень нравился один вестерн; Ричард Уидмарк играл там шерифа, которому утром предстоит безнадежная дуэль; накануне вечером он стучится в дверь Дороти Мэлоун, тщетно пытавшейся уговорить его спастись бегством. Она открывает дверь. «Чего же ты хочешь? Всю жизнь за одну ночь?» Ханна иногда дразнила меня, когда я приходил к ней, горя от нетерпения: «Чего же ты хочешь? Всю жизнь за один час?»

Только один раз я видел Ханну, не договорившись заранее о встрече. Это было в самом конце июля или в начале августа, в последние дни перед большими каникулами.

Несколько дней Ханна пребывала в странном настроении: она то молча дулась, то покрикивала на меня и одновременно заметно страдала от чего-то, что ужасно томило, мучило ее, делало такой ранимой. Она пыталась взять себя в руки, и при этом ощущалось такое напряжение, словно она вот-вот переломится. На мой вопрос о том, что ее так мучает, она ответила резкостью. Я даже немного растерялся. Не столько из-за этой резкости, сколько из-за того, что почувствовал ее беспомощность, поэтому постарался поддержать ее и в то же время не особенно приставать со своей заботой. Потом вдруг напряжение спало. Мне показалось, будто Ханна вновь стала совсем прежней. Закончив «Войну и мир», мы решили повременить со следующей книгой; я обещал подыскать что-нибудь интересное и принес несколько романов на выбор. Но она к ним и не притронулась.

— Давай-ка я тебя лучше искупаю, малыш.

В кухне меня сразу обдало какой-то тяжелой, удушливой волной, но дело было не в летней духоте — Ханна включила нагреватель. Она напустила в ванну воды, добавила несколько капель лавандового масла и принялась купать меня. Голубой цветастый халатик, под которым ничего не было, облепил ее потное от жары и влажности тело. Это очень возбуждало меня. Когда мы занимались любовью, мне почудилось, будто ей хочется заставить меня почувствовать нечто такое, что превзошло бы все до сих пор испытанное мною и чего бы я уже не вынес. Она отдавалась мне так, как никогда прежде. Не самозабвенно, до конца она никогда не забывалась. Но было такое чувство, будто она хочет, чтобы мы вместе утонули в этом омуте.

— А теперь ступай к своим друзьям.

Она проводила меня до двери, и я ушел.

Духота стояла меж домами, лежала на полях и садах, дрожала маревом над асфальтом. На пляже гомон играющей, плещущейся детворы доносился до меня приглушенно, словно издалека. Вообще мир казался мне каким-то чужим, а я, наверное, казался чужим ему. Я погружался в хлорированную, белесую воду купальни, не испытывая ни малейшего желания возвращаться на поверхность. Потом я лежал с другими ребятами, слушал их разговоры, но все это представлялось мне смешным и ничтожным.

Незаметно это настроение улетучилось. Опять был обычный пляжный день с приготовлением уроков, волейболом, болтовней и флиртом. Уже не помню, чем я занимался в тот миг, когда, подняв глаза, вдруг увидел ее.

Она стояла метрах в двадцати или тридцати, на ней были шорты и расстегнутая, завязанная узлом на талии рубашка. Она смотрела на меня. Я уставился на нее. Я не мог разглядеть выражение ее лица. Я не вскочил, не бросился к ней. В голове у меня промелькнуло множество вопросов: зачем она пришла сюда? хочет ли она, чтобы я заметил ее и чтобы нас увидели вместе? хочу ли этого я сам? почему я до сих пор ни разу не встречал ее случайно? что же мне все-таки делать? Наконец я встал. Но за тот миг, когда я отвел от нее глаза, она исчезла.

Ханна в шортах и завязанной узлом рубашке, с обращенным ко мне лицом, выражение которого я не могу разглядеть, — это еще одна картина, сохранившаяся в моей памяти.

17

На следующий день она пропала. Я пришел к ней в обычное время, позвонил. Через дверное стекло все выглядело как всегда; было слышно тиканье часов.

Я сел на ступеньки. В первые месяцы я всегда знал ее расписание и маршруты, хотя ни разу больше не пытался ее проводить или встретить. Потом я перестал ее спрашивать о расписании и маршрутах, как-то потерял к ним интерес. Мне только сейчас пришло это в голову.

Из автомата на Вильгельмсплац я позвонил в управление городского транспорта, меня несколько раз переключали, а потом сказали, что Ханна Шмиц сегодня на работу не вышла. Я вернулся на Банхофштрассе, зашел в столярную мастерскую во дворе, узнал фамилию и адрес домовладельца, который, как выяснилось, жил в Кирххайме. Я отправился туда.

— Госпожа Шмиц? Она сегодня утром съехала с квартиры.

— А как же мебель?

— Это не ее мебель.

— Сколько времени она прожила в вашей квартире?

— Вас это не касается. — Женщина, которая разговаривала со мной через дверное окошечко, захлопнула его.

В управлении городского транспорта я разыскал отдел кадров. Кадровик был любезен, участлив.

— Она позвонила рано утром, загодя, чтобы мы успели организовать подмену, и сказала, что больше не придет. Ничего не объяснила. — Он озадаченно покачал головой. — Две недели назад она сидела вот здесь, на вашем месте; я предложил ей повышение — мы собирались послать ее на курсы вагоновожатых, а она вдруг все бросила.

Лишь некоторое время спустя я догадался обратиться в бюро регистрации проживания. Ханна выписалась в Гамбург без указания нового адреса.

Несколько дней я чувствовал себя отвратительно. Я старался, чтобы дома никто ничего не заметил. За столом хоть немного участвовал в беседе, через силу ел, а если меня тошнило, то успевал дотерпеть до туалета. Я ходил в школу и на пляж. Там я проводил вторую половину дня, уединялся, чтобы никто ко мне не приставал. Мое тело тосковало по Ханне. Но гораздо сильнее, чем эта физическая тоска, меня мучило чувство вины. Почему я, увидев ее, не вскочил сразу и не бросился к ней! В этом мгновении для меня сконцентрировались все те маленькие предательства и измены, которые я совершал по отношению к ней за последние месяцы. И вот в наказание она уехала.

Иногда я пытался внушить себе, что тогда я видел совсем не ее. Откуда могла взяться уверенность, что я видел именно ее, если я даже лица толком не разглядел? Неужели не разглядел бы, если бы это была действительно она? Но ведь нельзя быть уверенным и в том, что это была не она?

Однако я знал, что это была Ханна. Она стояла и смотрела — и уже было поздно.

Часть
вторая

1

После того как Ханна уехала, понадобилось довольно много времени, чтобы я перестал всюду ее искать, привык к вечерам без нее и, открывая книгу, не задавался бы каждый раз вопросом, годится ли она для чтения вслух. Понадобилось время, чтобы тело перестало тосковать по ней; я сам замечал иногда, что мои руки и ноги ищут ее во сне, несколько раз брат высмеивал меня за общим столом, рассказывая, как я зову во сне какую-то Ханну. В классе я тоже часами напролет думал только о Ханне, грезил о ней. Чувство вины, которое терзало меня первые недели, постепенно улеглось. Я начал обходить стороной ее дом, выбирать иные маршруты, а через полгода наша семья переехала в другой городской район. Нет, Ханну я не забыл. Но с некоторых пор воспоминания о ней перестали преследовать меня. Она осталась в прошлом, как остается позади город, мимо которого проехал поезд. Он никуда не делся, он продолжает существовать, можно поехать туда, чтобы убедиться в этом. Только зачем?

Последние школьные годы и первые университетские остались в памяти как вполне счастливое время. Однако и рассказать о нем нечего. Слишком уж оно было беспроблемным: без особых проблем был получен аттестат зрелости; без особых проблем шла учеба в университете на юридическом факультете, выбранном довольно случайно; без особых проблем складывались романы и происходили расставания. Все давалось мне легко, все было легковесным. Может, поэтому у меня и сохранилось так немного воспоминаний? Или я сам ограничился немногими? Кстати, существуют ли вообще счастливые воспоминания, нет ли противоречия в самом этом словосочетании? Когда я оглядываюсь назад, в голову приходит довольно много таких ситуаций, которых я стыжусь и которые причиняют мне боль; я знаю, что пережитое с Ханной хотя и ушло в прошлое, однако осталось для меня неразрешенной проблемой. После Ханны я никому не давал унижать себя, ни с кем не обращался так, чтобы чувствовать себя виноватым, и никого не любил так, чтобы разлука причинила мне боль, — все это не было осознанной установкой, скорее результатом некоего ощущения.

Я обзавелся манерами человека, уверенного в себе и своем превосходстве, которого ничто особо не трогает, ничто не может сбить с толку, обескуражить. Я не брал на себя никаких обязательств. Помнится, один из учителей разглядел все это во мне, он пытался вызвать меня на откровенность, но я резко отшил его. Помню я и Софи. Вскоре после того, как Ханна уехала из нашего города, у Софи обнаружился туберкулез. Она провела три года в санатории и вернулась, когда я уже был студентом. Ей было одиноко, она искала контактов со старыми друзьями, поэтому мне было совсем нетрудно завоевать ее сердце. После того как мы с ней переспали, Софи почувствовала, что по-настоящему не очень-то интересовала меня; со слезами на глазах она причитала:

«Что же произошло с тобой, что произошло?» Помню деда, который в один из моих последних визитов хотел благословить меня перед смертью, однако я заявил, что не нуждаюсь в его благословении, поскольку в таковое не верю. Трудно представить себе, чтобы подобные поступки не вызывали у меня никаких угрызений совести. Ведь я помню, что порою даже от маленького проявления доброжелательности, ласковости в горле у меня появлялся комок, независимо от того, адресовалось это проявление мне или нет. Я мог таким образом отреагировать, например, на какую-нибудь сентиментальную сцену в фильме. Подобное сочетание черствости с сентиментальностью удивляло меня самого.

2

Ханну я увидел снова в зале суда.

Это был не первый и далеко не самый крупный процесс, связанный с концентрационными лагерями. Наш профессор — один из немногих, кто занимался тогда нацистским прошлым и соответствующими судебными делами, — решил сделать этот процесс темой семинара и хотел с помощью студентов сначала проследить ход всех судебных заседаний, а потом проанализировать их. Не знаю, хотел ли он этим что-то проверить, доказать или, наоборот, опровергнуть. Помню только, что на семинаре шла дискуссия о недопустимости наказания за преступление, которое не предусматривалось законом на момент совершения. Достаточно ли для осуждения служивших в концлагерях надзирателей, охранников, палачей, чтобы в тогдашнем уголовном кодексе существовала статья, которая предусматривала соответствующее преступление, или же важно, как трактовалась и применялась тогда эта статья, подпадали ли под нее люди, которые теперь считаются преступниками? Что такое право? То, что зафиксировано текстом закона, или же то, что реально существует и соблюдается в обществе, если в нем все нормально? Наш профессор, человек

пожилой, вернувшийся из эмиграции, но остававший-
ся изгоем среди немецких правоведов, участвовал в
дискуссии весьма активно, используя всю свою эру-
дицию, но в то же время и несколько дистанцирован-
но, с позиции ученого, который понимает, что для
решения подобной проблемы одной эрудицией не
обойдешься. «Посмотрите на обвиняемых. Ведь вы не
найдете среди них ни одного, кто всерьез считает, что
тогда он имел право уничтожать людей».

Его семинар начался зимой, а судебный процесс —
весной. Он продолжался много недель. Заседания
шли с понедельника по четверг, на каждый из этих
четырех дней профессор отряжал группу студентов,
чтобы все запротоколировать, слово в слово. В пят-
ницу проводилось семинарское занятие, на котором
осмыслялись события прошедшей недели.

Осмысление! Осмысление прошлого! Мы, студенты, участники семинара, считали себя авангардом
тех, кто взялся за осмысление прошлого. Мы на-
стежь распахивали окна навстречу свежему ветру,
чтобы он наконец смел пыль с истории, со всех ужасов прошлого, преданных забвению нашим обществом, вычеркнутых им из памяти. Мы хотели ясности.
Мы тоже не слишком полагались на правоведческие
премудрости. Осуждение необходимо, это не подлежало для нас сомнению. Также не подлежало сомнению, что речь идет не просто об осуждении того или
иного охранника концлагеря, конкретного исполни-
теля. Суд шел над целым поколением, которое вос-
требовало этих охранников и палачей или, по крайней мере, не предотвратило их преступлений и уж
во всяком случае не отвергло их хотя бы после
1945 года; мы судили это поколение и приговарива-
ли его к тому, чтобы оно хотя бы устыдилось своего
прошлого.

Нашим родителям выпали в Третьем рейхе разные роли. Некоторые из наших отцов попали на фронт, среди них двое или трое были офицерами вермахта, один — офицером войск СС; кое-кто сделал карьеру в качестве чиновника или юриста, среди наших родителей числились учителя и врачи, дядя одного из нас занимал высокий пост в рейхсминистерстве внутренних дел. Уверен, что, если бы они согласились отвечать на наши вопросы, их ответы сильно отличались бы друг от друга. Мой отец не любил рассказывать о себе. Но я знал, что он лишился должности доцента философии за объявленную лекцию о Спинозе, после чего пережил войну, кормя себя и нас тем, что работал редактором в издательстве, выпускавшем карты и книги для любителей пешего туризма. За что же устыжать его, приговаривать к раскаянию? Тем не менее я делал это. Мы приговорили их всех к раскаянию хотя бы за то, что уже после 1945 года они терпели бывших преступников в своей среде, не отворачивались от них.

У нас, студентов семинара, который занимался судебным процессом по делу об охранниках и надзирателях концентрационного лагеря, сформировалось сильное чувство общности. Другие студенты называли нас иронически «лагерниками», мы приняли это прозвище и сами стали называть себя так. Других не интересовало то, чем мы занимались, — они находили наш интерес странным, многих эта тема даже отталкивала. Пожалуй, то рвение, с которым мы исследовали ужасы прошлого, чтобы предъявить их другим, было действительно отталкивающим. Чем ужаснее оказывались события, о которых мы читали или слышали, тем больше уверялись мы в правоте нашей просветительской и обвинительной миссии. Даже тогда, когда всплывшее событие заставляло нас самих содрогнуться, мы с триумфом возглашали: вот оно, глядите все!

Я записался на этот семинар из чистого любопытства. Все-таки что-то свежее, а не вечное пережевывание истории торгового права, преступники и соучастники, саксонское уложение законов и ветхие древности философии права. Поначалу я вел себя и здесь с вошедшими в привычку высокомерием и независимостью. Однако в течение зимы мне все менее удавалось освободиться из-под власти тех событий, о которых мы читали или слышали, и рвения, охватившего всех студентов нашего семинара. Возможно, остальным я еще продолжал казаться нахальным, самоуверенным. Однако сам я обрел за зиму ощущение сопричастности с другими, ощущение того, что вместе с другими я занят праведным, нужным делом, и это было хорошее чувство.

3

Судебные заседания проходили в соседнем городе, до которого можно добраться на машине примерно за час. Раньше мне не доводилось там бывать. Машину вел другой студент. Он вырос в том городе и хорошо знал его.

Это было в четверг. Процесс начался в понедельник. Первые три дня суд занимался отводами защиты. Мы составляли четвертую группу, которой предстояло присутствовать при допросе обвиняемых с целью установления личности, с чего по существу и начинается процесс.

Мы ехали по Горной дороге, окаймленной цветущими фруктовыми деревьями. Настроение было приподнятым: наконец-то мы сможем показать, на что способны. Мы чувствовали себя не просто зрителями, слушателями или протоколистами. Все это было нашим вкладом в расчет с прошлым, в его осмысление.

Суд размещался в здании, построенном на рубеже веков, но обычной для тогдашней архитектуры помпезности или мрачности здесь не ощущалось. В зале, где заседал суд присяжных, окна находились слева. Большие, застекленные матовым стеклом, они давали много света, но не позволяли выглянуть наружу.

Прокуроры сидели перед самыми окнами, поэтому в особенно солнечные дни весной и летом можно было различить только их силуэты. Трое судей в черных мантиях и шестеро присяжных сидели в торце зала; справа находились скамья для подсудимых и места для адвокатов; поскольку тех и других было много, пришлось поставить дополнительные столы и стулья, которые выдвинулись чуть не до середины зала прямо к зрительским рядам. Некоторые из обвиняемых и адвокатов оказались спиной к нам. Ханна тоже сидела к нам спиной. Я узнал ее лишь тогда, когда, вызванная судьей, она поднялась с места и шагнула вперед. Конечно, я сразу узнал имя и фамилию: Ханна Шмиц. Потом узнал фигуру, голову, хотя волосы были уложены иначе, пучком, широкую спину и крепкие руки. Она стояла прочно, чуть расставив ноги. Руки легко повисли. На ней было серое платье с короткими рукавами. Я узнал ее, но ничего не почувствовал. Совсем ничего.

Да, ей удобней отвечать стоя. Да, она родилась 21 октября 1922 года в Херманнштадте, сейчас ей сорок три года. Да, она работала в Берлине на заводе Сименса, а осенью 1943 года пошла в СС.

— Вы добровольно пошли в СС?

— Да.

— Почему?

Ханна промолчала.

— Верно ли, что вы пошли в СС, хотя на заводе Сименса вам предлагали повышение на должность десятника?

Защитник Ханны вскочил с места.

— При чем тут «хотя»? Что означает это противопоставление повышения в должности вступлению в СС? Решение моей подзащитной не дает никаких оснований для подобных вопросов.

Защитник сел. Он был единственным молодым адвокатом, остальные были старше, некоторые из них, как вскоре выяснилось, прежде состояли в НСДАП. Он старался избегать их лексики и аргументации, но был исполнен рвения, которое вредило его подзащитной не меньше, чем вредили другим подсудимым нацистские тирады его коллег. Молодой адвокат добился своей репликой лишь того, что председательствующий недоуменно взглянул на него и не стал выяснять вопрос, почему Ханна пошла в СС. Во всяком случае осталось впечатление, что сделала она это с расчетом, а не под давлением обстоятельств. На вопрос присяжного, какую работу она рассчитывала получить в СС, Ханна ответила, что служба СС искала на заводе Сименса и на других предприятиях женщин для работы в охране; на это она дала согласие, и ее взяли. Подобный ответ не изменил негативного впечатления.

На вопрос председательствующего Ханна односложно подтвердила, что до весны 1944 года служила охранницей в Аушвице, потом до зимы 1944/45 года — в маленьком филиале этого лагеря под Краковом, затем эвакуировалась оттуда вместе с заключенными на запад, конец войны застал ее в Касселе, с тех пор она жила в разных местах. В моем родном городе она проживала восемь лет — это был самый длительный срок пребывания на одном и том же месте.

— Замечание о частой смене места жительства намекает, видимо, на попытку скрыться от правосудия? — Адвокат не прятал иронии. — Прибывая на новое место жительства или убывая оттуда, моя подзащитная исправно регистрировалась в полиции. Ничто не дает основания подозревать ее в попытке скрыться от правосудия или что-либо утаить от него. Не целесообразнее было бы, чтобы судья, занимающийся проверкой законности содержания под стражей, освободил мою подзащитную, а не ссылался на тяжесть предъявляемого ей обвинения и на пресловутое возмущение общественности? Высокий суд, подобное основание для ареста было выдумано нацистами и отменено после их краха. Такого основания больше не существует. — Адвокат произносил свою тираду, явно предвкушая сильный эффект, как это бывает с человеком, который сообщает пикантную новость.

Я испугался. Ведь я осознал, что одобряю арест Ханны. Но не потому, что уверился в тяжести ее вины или обоснованности подозрений, о которых я, в сущности, ничего еще толком не знал, а потому, что, пока Ханна находится в тюремной камере, она не сможет быть рядом и исчезнет из моей жизни. А я хотел, чтобы она исчезла из моей жизни, оказалась где-нибудь вне досягаемости, чтобы она осталась лишь воспоминанием, чем и была для меня на протяжении последних лет. Если адвокат добьется успеха, мне придется быть готовым к возможной встрече с ней, придется решать, какой должна быть наша встреча и хочу ли я ее вообще. А успех адвокату, видимо, обеспечен. Если Ханна не пыталась скрыться до сих пор, то зачем ей делать это теперь? Да и что она сумела бы скрыть? Других же оснований для ареста тогда действительно не существовало.

Лицо председательствующего опять выразило недоумение, и я понял, что это у него такая манера. Если какое-нибудь высказывание ставило его в затруднительное положение, он снимал очки, ощупывал говорившего близоруким, растерянным взглядом, морщил лоб и либо предпочитал вообще никак не реагировать на услышанное, либо бормотал: «Значит, вы утверждаете, что...» или «Значит, вы хотите сказать, что...», после чего повторял злополучное высказывание таким тоном, который недвусмысленно давал понять, что он не намерен заниматься данным вопросом и все попытки переубедить его бесполезны.

— Значит, по вашему мнению, судья, выписывавший ордер на арест, неверно расценил тот факт, что обвиняемая никак не отреагировала на письменные вызовы и повестки, не явилась ни в полицию, ни к прокурору, ни к судье? Вы хотите возбудить ходатайство об отмене постановления о содержании под стражей?

Адвокат возбудил ходатайство. Суд его отклонил.

4

Я не пропустил ни одного дня судебных заседаний. Остальные студенты удивлялись. Наш профессор весьма одобрил тот факт, что нашелся человек, который может рассказывать каждой следующей группе все увиденное и услышанное предыдущей.

Лишь один-единственный раз Ханна посмотрела на публику и на меня. Обычно же, когда в день судебного заседания охранница вводила ее в зал, Ханна, заняв свое место, отворачивалась. Это выглядело довольно высокомерно, как высокомерным казалось и то, что Ханна никогда не разговаривала с другими подсудимыми и почти не общалась со своим адвокатом. Впрочем, чем дольше продолжался процесс, тем меньше переговаривались между собой и другие подсудимые. В перерывах они стояли вместе с родственниками или знакомыми, которым приветливо махали руками и что-нибудь кричали, входя по утрам в зал заседаний. Ханна во время перерывов оставалась на своем месте.

Я смотрел на нее сзади. Видел ее голову, затылок, плечи. Угадывал, что говорят ее голова, затылок, плечи. Когда речь заходила о ней, Ханна высоко вскидывала голову. Когда в ее адрес говорилось что-либо несправедливое, произносилось ложное обвинение или делался агрессивный выпад, она пыталась возразить — плечи при этом подавались вперед, затылок напрягался, на шее проступали жилы. Но возразить не получалось, и плечи каждый раз вновь опадали. Однако она никогда не пожимала плечами, никогда не качала головой. Она была слишком напряжена, чтобы позволить себе такой небрежный жест, как пожимание плечами или покачивание головой. Она не позволяла себе ни наклонять голову, ни опускать ее, ни подпирать рукой. Она сидела как замороженная. Так сидеть, наверное, больно.

Порой из плотного пучка на затылке выбивались непослушные прядки волос, и ветерок от сквозняка играл ими. Иногда Ханна приходила в платье с вырезом, в котором можно было разглядеть родинку на левом плече. Я вспоминал, как сдувал прядки волос на ее затылке и как целовал эту родинку. Но память лишь регистрировала воспоминания. Чувств они никаких не вызывали.

На протяжении многих недель судебных заседаний я ничего не чувствовал, я был словно под наркозом. Порою я делал усилие, чтобы пробудить в себе какие-то чувства, старался, например, представить себе, как Ханна совершает то, в чем ее обвиняют, или пытался вспомнить собственные ощущения, когда глядел на прядки волос или на родинку на плече. Но все это было похоже на то, как щиплешь себя за руку, которая онемела от анестезирующего укола. Онемевшая рука не понимает, что ее щиплют, — это знают щиплющие пальцы, знает мозг. Но в следующий же миг все опять забывается. Можно ущипнуть себя посильнее, рука побелеет. Потом циркуляция крови возобновится и кожа приобретет нормальный цвет. Но рука так ничего и не почувствует.

Кто же сделал мне этот анестезирующий укол? Может, я сам, ибо иначе происходящее в зале суда стало бы для меня просто невыносимым? Но эта анестезия действовала не только в зале суда и воздействовала на меня не только так, что я воспринимал Ханну, словно человек, который некогда страстно желал и любил ее, был мне хорошо знаком, хотя это был все-таки другой, не я сам. Я глядел на себя как бы со стороны, будь то на занятиях в университете, в общении с родителями, с братом и сестрами, с друзьями.

Спустя какое-то время мне показалось, что такое же состояние наркоза переживают и другие. Правда, это не относилось к адвокатам, которые на протяжении всех судебных заседаний демонстрировали агрессивное упрямство, несговорчивость, задиристую мелочность или хладнокровную воинственность, каждый в зависимости от темперамента или политических пристрастий. Разумеется, судебные заседания их утомляли, к вечеру адвокаты становились либо потише, либо, наоборот, наглели. Но за ночь происходила подзарядка, и утром они вновь обретали прежнюю самоуверенность, напористость и горластость. Прокуроры старались не отставать от них, пытаясь изо дня в день проявлять не меньший боевой задор. Однако им это не удавалось — поначалу из-за того, что их слишком ужасали предмет и результаты судебного разбирательства, потом начало сказываться притупляющее действие наркоза. Сильнее всего это было заметно по судьям и присяжным. В первые дни все те ужасы, о которых говорилось в зале суда — нередко со слезами, дрожащим голосом, путанно, сбивчиво или нехотя, — они воспринимали с явным душевным волнением или же со сдержанностью, которая стоила им заметных усилий. Позднее их лица приобрели вполне нормальное выражение, судьи и присяжные вновь могли улыбнуться, шепнуть друг другу что-либо, выказать некоторое нетерпение, если свидетель делался излишне многословным. Однажды, когда возник вопрос о необходимости провести выездное заседание в Израиле, они даже не скрывали оживленного интереса к возможному развлечению. Неизменно заново ужасались остальные студенты. Ведь они присутствовали на суде лишь раз в неделю, и каждый раз происходило одно и то же: ужас вторгался в их повседневную жизнь. Я же, присутствовавший на процессе постоянно, наблюдал за их реакцией опять-таки как бы несколько со стороны.

Так заключенный концлагеря, из месяца в месяц борющийся за выживание, равнодушно регистрирует ужас, который он видит у новичков. С таким же отупением регистрирует он сами убийства и смерти. Во всех книгах, написанных по свидетельствам людей, переживших концлагеря, говорится об этом отупении, о том, что жизнь заключенных сводится к немногим ограниченным функциям, люди делаются безучастными, безжалостными друг к другу, а печи крематория и газовые камеры становятся обыденным делом. Такими же обыденными они выглядят и в показаниях подсудимых, жизнь которых в концлагере тоже сводится к немногим ограниченным функциям и которые кажутся в своем отупении, безжалостности и безучастности пьяными или находящимися под воздействием наркоза. У меня возникало ощущение, что обвиняемые все еще продолжали находиться в этом состоянии, так сказать, закаменели в нем.

Уже тогда, когда меня занимало это всеобщее притупление чувств и то, что оно касалось не только преступников и их жертв, но позднее распространилось и на нас, судей, присяжных, прокуроров и протоколистов, когда я сравнивал друг с другом преступников, жертв, мертвых, живых, выживших и живущих в совсем иные времена, мне было очень не по себе, да и сейчас мне не по себе. Допустимы ли такие сравнения вообще? Если приходилось заводить разговор о подобных сравнениях, я неизменно старался подчеркнуть, что само сравнение ничуть не умаляет разницы между теми, кто оказался брошенным в концлагерь, и теми, кто пошел туда по собственной воле, между теми, кто страдал, и теми, кто причинял страдания; наоборот — именно разница играет тут наиважнейшую, решающую роль. Однако я всегда сталкивался с непониманием или возмущением даже в том случае, если затрагивал эту тему сам, а не высказывал свои соображения в качестве контраргументов в споре.

Я до сих пор задаю себе вопрос, который начал мучить меня еще тогда: что делать нам, новому поколению, с ужасными фактами истребления евреев? Нам нельзя претендовать на понимание того, чего нельзя понять, нельзя пытаться с чем-то сравнивать то, что не поддается никаким сравнениям, нельзя задавать лишних вопросов, потому что спрашивающий, даже если он не подвергает пережитые ужасы сомнению, заставляет говорить о них вместо того, чтобы, содрогнувшись перед ними, оцепенеть в стыде, сознании своей вины и в немоте. Стало быть, мы должны цепенеть в стыде, сознании вины и немоте? До каких пор? Нельзя сказать, чтобы правдоискательское и разоблачительское рвение, с которым я прежде участвовал в работе семинара, полностью исчезло в ходе судебного процесса. Но и его результат, когда осуждены были очень немногие, а нам, следующему поколению, оставалось лишь цепенеть от ужаса, стыда и сознания собственной вины, — разве он должен был быть именно таким?

5

На второй неделе было зачитано обвинительное заключение. Чтение длилось полтора дня. Подсудимой вменяется в вину, во-первых... во-вторых... в-треть-их... — эти действия подпадают под статью такую-то и такую-то; в-четвертых, следующие действия образуют состав преступления, предусмотренный статьей... Ханна признавалась ответственной за преступные деяния...

Пять обвиняемых были надзирательницами в небольшом женском концлагере под Краковом, который являлся одним из филиалов Аушвица. Их перевели туда из Аушвица весной 1944 года, чтобы заменить надзирательниц, убитых или погибших при взрыве фабрики, где работали заключенные. Один пункт обвинения относился к пребыванию подсудимых в Аушвице, однако он перекрывался остальными пунктами. В чем он состоял, уже не помню. Может, он вообще не касался Ханны, а только остальных подсудимых? Или он действительно был сам по себе слишком незначителен по сравнению с другими пунктами? А может, бывшим заключенным, пережившим Аушвиц, было невыносимо участвовать в процессе, где тех, кто служил в этом лагере и кого удалось поймать, судили за что-то другое, а не за их деяния в Аушвице?

Конечно, эти пять подсудимых не представляли собою лагерное начальство. Ведь существовал еще комендант лагеря, и охрана, и другие надзирательницы. Большинство охранников и надзирательниц погибли под ночной бомбежкой при эвакуации заключенных на запад. Впрочем, некоторые из них скрылись той же ночью; их до сих пор не смогли разыскать, как и коменданта лагеря, исчезнувшего куда-то еще при отправке эшелона.

Из заключенных ту ночь не пережил почти никто. В живых остались лишь мать и дочь; как раз дочь и написала опубликованную в Америке книгу, где рассказывалось о концентрационном лагере и об эшелоне, отправленном на запад. Полиция и прокуратура разыскали не только пятерку обвиняемых, но и нескольких свидетелей, проживавших в той деревне, где разбомбили эшелон. Главными свидетелями были дочь, приехавшая в Германию, и ее мать, оставшаяся в Израиле. Судьи, присяжные, прокуроры и адвокаты ездили туда, чтобы получить от нее свидетельские показания. Это был единственный эпизод судебных заседаний, который прошел без моего присутствия.

Первый, наиболее тяжелый пункт обвинения относился к селекциям, которые производились в лагере. Каждый месяц сюда присылались из Аушвица примерно шестьсот новых женщин, примерно столько же отправлялось обратно в Аушвиц, за вычетом умерших в тот промежуток времени. Все знали, что женщин везут в Аушвиц на смерть, ибо возвращали лишь тех, кто уже не мог использоваться для работы на заводе. Это был оружейный завод, где собственно работа была не особенно тяжелой, но именно ею женщины почти не занимались, так как им приходилось постоянно что-нибудь строить, восстанавливая значительные разрушения после произошедшего весной взрыва.

Другой тяжелый пункт обвинения относился к той ночи, когда был совершен бомбовый налет. Охранники и надзирательницы закрыли заключенных, несколько сотен женщин, в церкви почти пустой деревни, покинутой большинством жителей. Бомб упало совсем немного, они предназначались либо железнодорожной ветке, либо близлежащей фабрике, либо просто были сброшены, так как остались неизрасходованными при налете на крупный населенный пункт. Одна бомба попала в дом приходского священника, где спали охрана и надзирательницы. Вторая бомба упала на церковную колокольню. Загорелась сначала сама колокольня, потом крыша церкви, затем перекрытия рухнули вниз, и загорелись внутренние помещения. Тяжелые входные двери устояли. Обвиняемые могли бы открыть их. Но они этого не сделали, и женщины, запертые в церкви, сгорели.

6

Ход процесса складывался для Ханны самым небла-
гоприятным образом. Она произвела плохое впечатление на суд уже при установлении личности. После
зачтения обвинительного заключения она попросила
слова, чтобы указать на неточность; председательствующий выразил недоумение, сделал ей замечание,
которое сводилось к тому, что до начала судебного
процесса у нее имелось достаточно времени для изу-
чения обвинительного заключения и для возраже-
ний, теперь же процесс начался, и это уж дело судебного следствия установить, что в обвинительном
заключении соответствует фактам, а что нет. В начале судебного следствия председательствующий предложил не зачитывать немецкого перевода той книги,
которую написала дочь, так как эта книга готовит-
ся к публикации немецким издательством, а потому
была представлена в рукописи для ознакомления
всем участникам процесса; под удивленным взглядом председательствующего адвокату Ханны пришлось уговаривать ее дать согласие на это предло-
жение. Ханна долго не соглашалась. Она отказывалась и от зафиксированных протоколом допроса
собственных показаний, что ключ от церкви нахо-

дился именно у нее. Дескать, ключ от церкви у нее не мог находиться, такого ключа вообще ни у кого не было, потому что для разных дверей существовали разные ключи и все они торчали в дверных замках снаружи. Однако в прочитанном и подписанном ею протоколе допроса значилось иное, а ее вопрос, почему ей хотят приписать то, чего на самом деле не было, скорее ухудшил ее положение, нежели улучшил. Вопрос прозвучал не громко, не агрессивно, однако очень настойчиво, хотя при этом мне послышалась какая-то растерянность и беспомощность. Она вроде бы никого не упрекала в том, что ей хотят приписать, чего на самом деле не было, не жаловалась на чей-то злой умысел, однако председательствующий истолковал все именно так и отреагировал крайне резко. Адвокат Ханны вскочил, закипятился, но когда его спросили, поддерживает ли он высказывание своей подзащитной, замолчал и сел на место.

Ханна хотела, чтобы все делалось правильно. Если ей казалось, что допущена ошибка, она возражала, но зато подтверждала показания, когда считала их верными, и соглашалась с обвинениями, когда считала их справедливыми. Она возражала с таким упорством, а подтверждала с такой готовностью, будто подтверждение дает ей право на возражение, а возражая, она берет на себя обязательство добросовестно признавать все то, чего не может опровергнуть. Она не замечала, как раздражает председательствующего подобным упрямством. Она не понимала ни контекста происходящего, ни правил игры, ни формул, по которым ее показания или показания других превращаются в слагаемые вины или невиновности, осуждения или оправдания. Вероятно, адвокату стоило бы попытаться смягчить этот недоста-

ток какими-то объяснениями, которые помогли бы
ей почувствовать ситуацию, придали больше уверенности, позволили набраться опыта, однако, возможно, ему самому не хватало профессионализма. Пожалуй, Ханна и сама слишком усложняла его задачу:
судя по всему, она не очень доверяла ему, однако
отказалась выбирать защитника, который сумел бы
завоевать ее доверие. Адвокат был назначен Ханне
председателем суда.

Иногда Ханне удавалось добиться своего рода успеха. Помню, как ее допрашивали о селекциях, которые
проводились в лагере. Другие обвиняемые оспаривали
участие в селекциях и даже любую причастность к ним.
Ханна же признала свое участие — не в качестве единственной исполнительницы, но вместе и наравне с остальными — с такой готовностью, что председательствующий решил расспросить ее подробнее.

— Как осуществлялись селекции?

Ханна рассказала, что надзирательницы договори-
лись между собой отбирать из шести блоков, равных
по численности заключенных, одинаковое количество женщин, то есть по десять человек, чтобы всего
выходило шестьдесят, но в зависимости от большего
количества больных в одном блоке и меньшего в другом нормы могли превышаться или недобираться, тогда надзирательницы собирались вместе, чтобы ре-
шить, сколько женщин из каких блоков будут возвра-
щены в Аушвиц.

— Никто из вас не уклонялся от селекции, все
участвовали?

— Да.

— Разве вы не знали, что посылаете заключенных
на верную смерть?

— Знали, но прибывали новые партии, и надо было освобождать места.

— Стало быть, поскольку вы хотели освободить места, то говорили: вот эту и эту надо отправить назад и уничтожить. Так?

Ханна не поняла, что подразумевал председательствующий, задавая свой вопрос.

— Но я... видите ли... А что бы вы сделали на моем месте?

Ханна задала свой вопрос вполне серьезно. Она действительно не знала, как должна была или как могла поступить тогда иначе, и поэтому хотела услышать от председательствующего, как бы он поступил на ее месте.

Воцарилась тишина. В немецком суде не принято, чтобы обвиняемый в ходе следствия задавал судье вопросы. Но вопрос был задан, и теперь все ждали ответа. Судья должен был ответить на этот вопрос, от него нельзя было отмахнуться, отделаться выговором или встречным вопросом. Всем это было ясно, в том числе и ему самому, поэтому я вдруг догадался, почему он так часто изображал недоумение на своем лице. Недоумение было его маской. Скрывшись за нею, он выгадывал время для ответа. Однако времени у него было немного; чем дольше тянулась пауза, тем больше росло напряжение и тем лучше должен был быть ответ.

— Есть дела, в которых просто нельзя участвовать и от которых надо устраняться, если, конечно, от этого не зависит собственная жизнь.

Возможно, подобный ответ мог бы показаться удовлетворительным, если бы судья говорил не вообще, а лично о себе или же о Ханне. Ее вопрос был слишком серьезным, чтобы можно было ограничиться абстрактными рассуждениями о том, что надо или чего не надо делать и чем можно или нельзя при этом рисковать. Ведь Ханна хотела услышать, что следовало делать именно на ее месте, а не то, что есть дела, от которых лучше держаться подальше. Ответ судьи получился беспомощным, жалким. Так его все и восприняли. Послышались разочарованные вздохи, многие с удивлением глядели на Ханну, пожалуй одержавшую победу в этой словесной дуэли. Сама же она осталась погруженной в собственные мысли.

— Значит... Выходит, не следовало мне тогда на «Сименсе» давать согласие?

Но это уже не был вопрос к судье. Она разговаривала сама с собой, спрашивала себя, еще нерешительно, еще сомневаясь, правильный ли она задала себе вопрос и какой может быть на него ответ.

7

Если председательствующего раздражало упорство Ханны, с которым она возражала, то других обвиняемых злила ее готовность к признаниям. Эти признания сыграли фатальную роль для их защиты, да и для защиты самой Ханны.

Собственно говоря, положение подсудимых было сравнительно неплохим. Доказательная база по первому главному пункту обвинения состояла лишь из свидетельских показаний матери и дочери, а также из написанной дочерью книги. Хорошая защита сумела бы, не подвергая сомнению содержание этих показаний, вполне убедительно оспорить утверждение, что именно эти обвиняемые участвовали в селекциях. В этой части показаниям недоставало четкости, да ее и не могло быть: ведь в лагере имелся комендант, существовала охрана, были и другие надзирательницы, наличествовала иерархия отдачи приказаний и система распределения обязанностей, которые были известны и понятны свидетельницам далеко не полностью. Примерно так же обстояло дело и со вторым главным пунктом обвинения. Мать и дочь были заперты в церкви, поэтому не могли свидетельствовать о том, что происходило снаружи. Правда, обвиняемые не имели возможности отрицать свое присутствие на месте событий. Другие свидетели, остававшиеся в деревне жители, разговаривали тогда с ними и помнили их. Однако этим свидетелям приходилось остерегаться упрека в том, что у них самих была возможность спасти заключенных. Ведь если бы на месте событий находились только нынешние обвиняемые, то неужели нельзя было справиться с несколькими женщинами и открыть двери церкви? Не выгоднее ли было им поддержать линию защиты, которая состояла в том, что подсудимые действовали вынужденно или по принуждению, и тем самым снимала тень подозрений и со свидетелей? Приказы или принуждение могли исходить от вооруженной охраны, которая на ту пору еще не разбежалась, а если даже и отсутствовала, то, по мнению свидетелей, отлучилась лишь на короткое время, например, чтобы доставить раненых в лазарет и тут же вернуться.

Когда обвиняемые и их защитники поняли, что подобная стратегия рушится из-за готовности Ханны давать откровенные показания, они перестроились и начали теперь использовать эту готовность Ханны, чтобы снимать вину со своих подопечных, перекладывая ее на Ханну. Защитники делали это с профессиональной сдержанностью. Подзащитные вторили им возмущенными репликами.

— По вашим словам, вы знали, что отправляете заключенных на смерть. Но это относится только к вам, не так ли? Вы же не можете знать, известно это было другим надзирательницам или нет. Вы можете только что-то предполагать, но не утверждать, не правда ли?

Такой вопрос задал Ханне защитник другой подсудимой.

— Но мы все это знали...

— Сказать «мы» и «все знали» гораздо легче, чем «мне одной было известно», не так ли? Кстати, верно ли, что только у вас, у вас одной, были в лагере свои любимицы, молоденькие девушки, сначала одна, потом другая?

Ханна помедлила.

— По-моему, не только у меня...

— Грязная ложь! Это только у тебя были любимицы, у тебя одной! — Одна из обвиняемых, дородная, похожая на наседку визгливая женщина явно заволновалась.

— Похоже, вы всегда говорите «знаю», когда в лучшем случае следовало бы сказать «предполагаю», или говорите «по-моему», когда просто фантазируете, а? — Адвокат сокрушенно покачал головой, словно услышал от Ханны утвердительный ответ. — Верно ли также, что, когда вам любимицы надоедали, вы отправляли их в Аушвиц ближайшим же эшелоном?

Ханна не ответила.

— Это была ваша особая, личная селекция, не так ли? Но вы не хотите в ней признаваться, вам хочется покрыть ее тем, что якобы делали все. Только...

— О господи! — Дочь, вернувшаяся после дачи показаний к зрителям, закрыла лицо руками. — Как же я могла это забыть?

Председательствующий спросил, не хочет ли она дополнить свои показания. Не дожидаясь приглашения, она встала и сказала прямо со своего места в зале:

— Да, у нее были любимицы, она всегда отбирала самых слабеньких, самых нежных, брала их под опеку, освобождала от работы, устраивала на место получше, подкармливала, а по вечерам забирала к себе. Девушкам не разрешалось говорить, что она с ними делала, и мы думали... поскольку потом их увозили... мы думали, что она забавлялась с ними, пока не надоест. Только это оказалось не так, одна девушка все-таки проговорилась, и мы узнали, что они читали ей вслух каждый вечер, каждый вечер. Это все же лучше, чем... И лучше, чем изнурительная работа на стройке, которой они бы не выдержали, я думала, что, наверное, так было лучше, а то бы не забыла. Только разве это лучше? — Она села.

Ханна обернулась и посмотрела на меня. Она сразу нашла меня взглядом, отчего я догадался, что она все время знала о моем присутствии. Она просто посмотрела на меня. Ее лицо ничего не просило, не искало, ни в чем не уверяло и ничего не обещало. Она просто смотрела. Я увидел, как ее измучило внутреннее напряжение. Под глазами темнели круги, на щеках обозначились вертикальные морщины, которых раньше не было, — еще не глубокие, но уже похожие на тонкие шрамы. Когда я покраснел под ее взглядом, она отвернулась и снова уставилась на стол, за которым сидели судьи и присяжные.

Председательствующий поинтересовался у адвоката, который опрашивал Ханну, есть ли у него еще вопросы. Затем обратился к адвокату Ханны.

Спроси же ее, пронеслось у меня в голове. Спроси, не потому ли она отбирала самых слабых, что они все равно не выдержали бы работы на стройке, и не потому ли, что их все равно возвратили бы ближайшим же эшелоном в Аушвиц, и не потому ли, что ей хотелось хоть немного облегчить им жизнь в этот последний месяц. Ответь, Ханна. Скажи, что ты хотела облегчить им жизнь в этот последний месяц. Скажи, что именно поэтому ты отбирала самых нежных и слабых. Что другой причины не было и быть не могло.

Но адвокат ни о чем не спросил, а сама Ханна ничего не сказала.

8

Немецкое издание книги о концентрационном лагере, которую написала дочь, вышло после судебного процесса. Рукопись перевода существовала уже во время суда, но ее раздали только участникам процесса. Я прочитал книгу по-английски, что в ту пору было для меня непривычно и далось тяжело. И как всегда, чужой язык, которым толком не владеешь и с которым приходится сражаться, рождал смешанное чувство близости и отчуждения. Я проработал текст на редкость основательно и все же не до конца осознал его. Он остался мне чужд, как и язык, на котором он был написан.

Спустя несколько лет я перечитал эту книгу и увидел, что она сама по себе вызывает чувство отчуждения. Она не приглашает читателя отождествить себя с автором, не пытается вызвать симпатию к кому-либо из персонажей, будь то мать или дочь, будь то другие женщины, разделявшие их страшную участь в различных концлагерях, вплоть до Аушвица и краковского филиала. Что касается старших по бараку, надзирательниц, охранников, то они получились фигурами довольно безликими, а потому трудно было различить, кто из них хуже или лучше. В книге ощущается та притупленность восприятия, о которой я уже говорил. Правда, несмотря на нее, дочь не утратила наблюдательности и способности анализировать события. Ее взгляд оказался не замутнен ни жалостью к самой себе, ни чувством уверенности в себе, которое, видимо, окрепло благодаря сознанию того, что ей удалось не только выжить в тяжелые годы лагерей, но и осмыслить их в литературной форме. Она пишет о своей наивности и раннем взрослении, а также о необходимой в тех обстоятельствах изворотливости с той же трезвостью, с которой описывает все остальное.

Ханна не названа в книге по имени и не фигурирует в ней каким-либо узнаваемым образом. Иногда мне казалось, что ее можно узнать в молодой, красивой надзирательнице, которая, по словам автора, относилась к своим обязанностям с «бессердечным усердием». Впрочем, я не был уверен в правильности моей догадки. Если сравнивать Ханну с другими подсудимыми, то это могла быть только она. Но ведь были и другие надзирательницы. Книга упоминает, например, в одном из лагерей надзирательницу по прозвищу Кобыла, тоже молодую, красивую, усердную, но особенно жестокую и стервозную. Краковская надзирательница была чем-то похожа на эту Кобылу. Может, и другим приходило в голову подобное сравнение? Не знала ли об этом и сама Ханна, не потому ли так задело ее, когда я сравнил ее с лошадью?

Краковский лагерь был последней остановкой для матери и дочери на пути в Аушвиц. Здесь было сравнительно лучше, чем в прежних местах: работа, при всей тяжести, была полегче, еда получше, и спали они по шестеро в помещении, а не по сотне человек в одном бараке. А еще здесь было теплее; по дороге на работу и с работы женщинам разрешалось подбирать щепу и доски для печек. Да, все боялись селекций. Но тут этот страх был не так ужасен, как в Аушвице. Туда отправлялись ежемесячно шестьдесят женщин, шестьдесят из примерно тысячи двухсот; значит, даже при среднем физическом состоянии можно было рассчитывать на то, что впереди еще двадцать месяцев жизни, а ведь почти каждая надеялась, что у нее чуть побольше сил, чем у средней заключенной. Теплилась надежда и на то, что война кончится раньше, чем истекут эти двадцать месяцев.

Самое худшее началось с ликвидацией лагеря и эвакуацией заключенных на запад. Стояла зима, шел снег; одежда, в которой женщины могли более или менее держаться в лагере, но мерзли на заводе, была совершенно непригодной для дороги; еще хуже обстояло дело с обувью, которую часто заменяли тряпки или даже газетная бумага — ими можно было кое-как обмотать ноги, но обмотки сразу же расползались во время долгих переходов по льду и снегу. К тому же женщин заставляли даже не идти, а бежать. «Марш смерти? — спрашивает автор книги и отвечает: — Нет, это была смертельная гонка, смертельный галоп». Многие валились без сил на марше, другие не могли подняться после ночлега в сарае или просто под каким-либо забором. За неделю погибло около половины женщин.

Церковь была гораздо более удобным ночлегом, чем сарай или затишек под забором, которые доставались женщинам до сих пор. Когда они проходили мимо брошенных хуторов и ночевать приходилось там, то жилые помещения занимали охрана и надзирательницы. Здесь же, в полупокинутой деревне, они заняли дом священника, а заключенным предоставили все-таки не сарай и не место под забором. Это, а также то, что в деревне женщинам дали похлебать теплой баланды, показалось им едва ли не предвестием конца страданиям. Женщины заснули. Немного позднее посыпались бомбы. Пока горела колокольня, пожар был слышен в церкви, но не виден. Даже когда верхушка колокольни рухнула на церковную крышу, прошло еще несколько минут, прежде чем показалось пламя. Но затем огонь стремительно проник вниз, у кого-то загорелась одежда, сверху посыпались горящие балки, занялись амвон и скамьи для прихожан, вскоре крыша провалилась внутрь нефа и все исчезло в пламени.

В книге говорится, что женщины, возможно, сумели бы спастись, если бы сразу начали действовать сообща и постарались взломать одну из дверей. Но пока они сообразили, что происходит и что им грозит, пока поняли, что дверь им никто не откроет, было уже поздно. Проснулись они от взрыва бомбы, кругом была темная ночь. Некоторое время они прислушивались к странному, пугающему гудению на колокольне, все притихли, чтобы лучше расслышать этот шум и угадать по нему, что происходит. Сообразить, что это бушует пламя, что отсветы за окнами — зарево пожара, а страшный удар, отдавшийся в их головах, означал перепрыгивание пожара с колокольни на церковную крышу, сумели они лишь тогда, когда загорелись перекрытия. Все поняв, они заголосили, закричали от ужаса, принялись звать на помощь, бросились к дверям, начали биться в них, продолжая кричать.

Когда горящие перекрытия рухнули внутрь нефа, то каменные стены образовали подобие камина. Пламя разбушевалось, и большинство женщин не задохнулись, а сгорели в этом ярком, клокочущем огне.

В конце концов пламя прожгло даже железную обивку входных дверей. Но это было уже несколько часов спустя.

Мать и дочь уцелели лишь потому, что случайно нашли единственно правильный выход. Когда среди женщин началась паника, обе бросились прочь от них. Они кинулись вверх, на хоры, побежали навстречу огню, но им было все равно, им хотелось остаться одним, хотелось вырваться из свалки орущих, давящихся, горящих тел. Хоры были настолько узкими, что падающие балки почти не задевали обеих. Мать и дочь стояли, прижавшись к стене, видя и слыша, как под ними бушует огонь. Днем они не решились спуститься вниз. Ночью побоялись оступиться на лестнице. На рассвете второго дня они все-таки вышли из церкви и встретили нескольких жителей деревни, которые сначала недоуменно и безмолвно разглядывали их, но потом дали еду, одежду и отпустили.

9

— Почему вы не открыли двери?

Председательствующий задал каждой из обвиняемых один и тот же вопрос. Каждая из обвиняемых дала один и тот же ответ. Не могла. Почему? Была ранена, когда бомба попала в дом священника. Или была в шоке после взрыва бомбы. Или вытаскивала после взрыва бомбы охранников и других надзирательниц из-под развалин дома, перевязывала их. О церкви не вспомнила, рядом с нею не была, пожара не видела и криков о помощи из церкви не слышала.

Каждой из обвиняемых председательствующий одинаково возразил, что донесение о случившемся можно понять иначе. Это была осторожная формулировка. Было бы неверно сказать, что в донесении, сохранившемся в архивах СС, событие изложено по-другому. Однако верно, что его можно было понять иначе. Донесение перечисляло поименно всех убитых в доме священника, всех раненых, всех занятых отправкой раненых в лазарет и всех сопровождающих. В нем упоминается, что часть надзирательниц осталась на месте, чтобы дождаться окончания пожара, по возможности воспрепятствовать его распро-

117

странению, а также бегству заключенных в суматохе пожара. Говорится и о гибели заключенных.

Фамилии обвиняемых не фигурировали в поименных списках, это свидетельствовало в пользу предположения, что они принадлежали к числу оставшихся надзирательниц. Оставшимся надзирательницам было приказано воспрепятствовать попыткам побега заключенных, следовательно, вытаскиванием раненых из-под развалин дома и их отправкой в лазарет дело еще не закончилось. Донесение можно было понять так, что оставшиеся надзирательницы дождались, пока церковь догорит, и не открывали двери. Из донесения можно было также понять, что обвиняемые принадлежали именно к числу оставшихся надзирательниц.

Нет, уверяли обвиняемые одна за другой, дело обстояло не так. Донесение искажает факты. Это явствует хотя бы из сообщения, будто оставшимся надзирательницам было приказано воспрепятствовать распространению пожара. Такой приказ был бы абсолютно бессмысленным, поскольку совершенно невыполнимым. Не менее бессмысленным был бы приказ воспрепятствовать попыткам побега заключенных в суматохе пожара. Какие попытки побега? Когда они кончили перевязывать своих раненых и получили возможность заняться заключенными, бежать уже было некому. Нет, донесение совершенно неверно излагает события той ночи, которая стоила им таких страданий и таких трудов. Каким же образом возникло неверное донесение? Этого они не знают.

Так продолжалось, пока очередь не дошла до стервозной толстухи.

— Вон ее спросите! — Она ткнула пальцем в сторону Ханны. — Вот кто писал донесение. Она во всем виновата, она одна. Нарочно наврала в донесении, чтобы свалить всю вину на нас.

Председательствующий задал Ханне вопрос о донесении. Но это был последний вопрос. А сначала он спросил:

— Почему вы не открыли дверь?

— Мы были... Мы не знали, что делать.

— Не знали, что делать?

— Ну да, одних убило, другие сбежали. Они сказали, что вернутся, после того как отправят раненых в лазарет, но они сами знали, что не вернутся, и мы знали. Может, они вообще не поехали в лазарет, ранения были не такими уж тяжелыми. Мы хотели поехать вместе с ними, но нам сказали, что раненым не хватает места, а кроме того... кроме того, женщины им только мешали. Не знаю, куда они делись.

— Что делали вы лично?

— Мы растерялись. Все произошло так быстро, дом священника загорелся, колокольня тоже. В это время мужчины и машины еще были с нами, потом они вдруг уехали. Мы остались одни с теми женщинами в церкви. Нам оставили кое-какое оружие, но что в нем было толку — обращаться мы с ним не умели, да и было нас слишком мало. Как бы мы стали охранять такое количество заключенных? Колонна получалась довольно длинная, для охраны нас, нескольких женщин, все равно бы не хватило. — Ханна помолчала. — Потом начались крики, стало совсем ужасно. Если бы открыли двери и все бросились бы...

Несколько мгновений председательствующий ждал продолжения, затем спросил:

— Вы испугались? Испугались, что заключенные нападут на вас?

— Нападут?.. Нет, но как было навести порядок? Началась бы паника, мы бы с ней не справились. А если бы они решили бежать...

Председательствующий опять подождал, но Ханна так и не договорила фразу до конца.

— Вы боялись, что за непредотвращение побега вас арестуют, осудят и расстреляют?

— Мы были обязаны не допустить побега. Ведь мы отвечали за них... Все время охраняли их, и в лагере, и по пути. Мы охраняли их, чтобы они не убежали, это была наша работа. Поэтому мы и не знали, что делать. Не знали, сколько женщин останется в живых в ближайшие дни. Столько уже умерло, а остальные совсем ослабели...

Ханна чувствовала, что ее показания складываются не в пользу обвиняемых. Но она не могла вести себя иначе. Она могла только попытаться быть поточнее, объяснить все получше. Но чем больше она старалась, тем более усугубляла положение обвиняемых. Вконец растерявшись, она опять обратилась к председательствующему:

— А что бы вы сделали на нашем месте?

Но на этот раз она знала, что не получит ответа. Да она его и не ждала. Никто его не ждал. Председательствующий молча качнул головой.

Дело было не в том, что никто не мог представить себе той растерянности, беспомощности, о которой говорила Ханна. Ночь, холод, снег, пожар, крики женщин в церкви, исчезновение тех, кто отдавал приказы надзирательницам, — конечно, ситуация была сложной. Но может ли сложность ситуации хотя бы отчасти оправдать ужас случившегося, всего того, что было сделано или не было сделано обвиняемыми? Как если бы речь шла об автокатастрофе, произошедшей холодной зимней ночью, когда растерянный водитель стоит перед разбитой машиной, ранеными людьми и не знает, что предпринять. Или если бы речь шла о конфликте одного долга с другим?

Так можно было бы представить себе то, о чем говорила Ханна, но никто не хотел этого делать.

— Это вы написали донесение?

— Мы все вместе решали, что написать. Мы не хотели, чтобы пострадали охранники, которые сбежали. Но не хотели и на себя брать вину.

— Вы сказали, что решали все вместе. А кто писал?

— Ты! — Толстуха вновь ткнула пальцем в сторону Ханны.

— Нет, я не писала. Разве важно, кто писал?

Прокурор предложил вызвать эксперта для сличения почерка обвиняемой с почерком, которым написано донесение.

— Мой почерк? Вы хотите сличать мой почерк?

Председательствующий, прокурор и защитник Ханны принялись спорить, изменяется почерк с течением времени или нет и можно ли идентифицировать его по прошествии стольких лет. Прислушиваясь к спору, Ханна становилась все более встревоженной, несколько раз она порывалась что-то возразить или спросить. Наконец она сказала:

— Не надо эксперта. Я признаю, что донесение написано мной.

10

Пятничных занятий нашего семинара я не помню. Я могу восстановить в памяти события судебного процесса, но совершенно забыл, как мы разбирали его с точки зрения юридической науки. Что мы обсуждали? Что хотели выяснить? Чему учил нас профессор?

Зато мне запомнились воскресные дни. Время, проведенное в суде, заново пробудило во мне тягу к природе, обострило вкус к ее краскам и запахам. По пятницам и субботам мне приходилось наверстывать упущенное за неделю занятий, чтобы не отставать от программы. Зато по воскресеньям я выбирался на прогулки.

Хайлигенберг, церковь Святого Михаила, Башня Бисмарка, Дорожка философов, берег реки — маршрут моих еженедельных прогулок почти не менялся. Мне хватало того разнообразия, которое я наблюдал в набирающей с каждой неделей силу зелени, в видах рейнской долины, то подрагивающей в жарком мареве, то покрытой поволокой дождя под темными грозовыми облаками; в лесу я наслаждался запахом ягод и трав, особенно душистых на солнцепеке, и ароматом земли, прошлогодней прелой листвы, особенно пахучей после ливней. Да мне и не нужно большого разнообразия. Достаточно, если очередная вылазка заведет меня чуть подальше, чем предыдущая, а в отпуске я предпочитаю возвращаться в те места, где уже побывал раньше, если мне там понравилось; когда-то мне казалось, что необходимо затевать смелые путешествия, и я заставлял себя ехать на Цейлон, в Египет или Бразилию, но со временем опять отдал предпочтение знакомым местам, чтобы познакомиться с ними еще ближе. Здесь мне видно больше, чем там.

Мне удалось отыскать в лесу поляну, на которой я разгадал тайну Ханны. У этой поляны не было ничего особенного, например какого-либо диковинного дерева или камня, отсюда не открывался какой-либо интересный вид на город или долину, не было ничего, что могло бы породить цепочку неожиданных ассоциаций. Из моих размышлений о Ханне, которые двигались из недели в неделю по одному и тому же кругу, одна мысль как-то выделилась, пошла по собственному пути и привела меня к определенному результату. Эта мысль работала сама по себе и сама додумала себя до конца, что могло случиться где угодно, точнее — в любом месте, где привычность окружения или обстановки позволяет уловить и воспринять ту неожиданность, которая не возникает извне, а вызревает изнутри. Это произошло на тропинке, которая круто лезет в гору, пересекает дорогу, минует колодец, проходит меж старых, высоких, тенистых деревьев и приводит к светлой полянке.

Ханна не умела читать и писать.

Поэтому она и просила, чтобы ей читали вслух. Поэтому она сорвалась во время нашей велосипедной вылазки, когда, обнаружив утром в гостинице мою записку, поняла, что я буду ждать от нее поведения, соответствующего содержанию записки, и испугалась разоблачения. Поэтому она уклонилась от предложенного повышения по службе в трамвайном депо — будучи кондуктором, она могла скрыть неграмотность, которая непременно обнаружилась бы на курсах вагоновожатых. По этой же причине она отказалась от повышения на заводе Сименса и стала надзирательницей. Поэтому же она согласилась на суде взять на себя ответственность за написание донесения — ей не хотелось разбираться с экспертом. Может, поэтому она и навредила себе показаниями на процессе? Ведь она не сумела прочитать ни книгу о лагере, ни текст обвинения, то есть не увидела там шансов для собственной защиты, лишилась возможности соответствующим образом к ней подготовиться. Не потому ли она отправляла в Аушвиц своих подопечных? Не было ли это способом заставить замолчать тех, кто мог что-то заметить? И не потому ли она опекала именно самых слабых?

Было ли это подлинной причиной? Я мог понять, что она стыдилась своей неграмотности, а потому предпочитала даже обижать меня, лишь бы правда не вышла наружу. Я по себе знал, что стыд может стать причиной скрытности, защитной реакции, странностей в поведении и даже агрессивности. Но был ли стыд Ханны истинной причиной ее странного поведения на судебном процессе и в лагере? Неужели она могла пойти на преступление из страха, что ее уличат в неграмотности? Преступление из страха быть уличенной в неграмотности?

Сколько раз я задавал себе тогда и потом эти вопросы. Если поступки Ханны диктовались боязнью разоблачения, то почему она побоялась быть уличенной в сокрытии своей неграмотности, этом сравнительно небольшом обмане, и не испугалась, что ее обвинят в чудовищном преступлении? Неужели она попросту рассчитывала, что ей удастся все скрыть и во всем оправдаться? Может, она была просто глупа? Или столь непомерно честолюбива, что предпочла, чтобы ее объявили преступницей, лишь бы не раскрылся обман?

И тогда, и потом на все эти вопросы я отвечал себе — нет. Ханна не хотела становиться преступницей. Ей пришлось отказаться от повышения на заводе Сименса, из-за чего она сделалась надзирательницей. Нет, она не посылала самых слабых девушек в Аушвиц потому, что те ей читали; наоборот, она выбирала их для чтения потому, что хотела скрасить им последний месяц, и потому, что их все равно отправили бы в Аушвиц. Нет, на судебном процессе Ханна не выбирала между уличением в неграмотности и изобличением в качестве преступницы. Она не хитрила, не выдумывала тактических уловок. Она была готова отвечать за свою вину, но не хотела быть сверх того еще и уличенной. Она не столько преследовала собственные интересы, сколько боролась за истину, за справедливость. Но ей все-таки приходилось что-то скрывать, она не была до конца откровенной, не могла вполне быть самой собой, а потому и истина получалась ущербной, и ущербной становилась справедливость, но это были ее истина и ее справедливость, за которые она боролась.

Видимо, силы ее были истощены до крайности. Ведь она была вынуждена бороться не только на суде. Она боролась всегда, но боролась не за то, чтобы доказать свои достоинства, а за то, чтобы скрыть свою ущербность. Это была жизнь, где решительный поступок означал отступление, а победы оказывались тайными поражениями.

Меня сильно задело резкое противоречие между тем, что должна была испытывать Ханна, когда она покидала наш город, и тем, что рисовалось тогда в моем воображении. Ведь мне казалось, будто она уехала из-за меня, из-за того, что я отказался от нее, предал ее, а на самом деле все объяснялось просто событиями в трамвайном депо, которые грозили ей разоблачением. Хотя пусть она уехала и не из-за меня, но предательство я все-таки совершил. Значит, был виновен. А если предать преступницу виной не считается, тогда я был виновен, потому что любил преступницу.

11

Показание Ханны, что донесение написано ею, значительно облегчило положение остальных обвиняемых. Теперь получалось: там, где Ханна действовала не одна, другие участвовали в ее действиях по ее приказу, принуждению, под воздействием ее угроз. Она, мол, взяла ответственность на себя. Она командовала устно и письменно. Она принимала решения.

Жители деревни, привлеченные в качестве свидетелей, не могли этого ни подтвердить, ни опровергнуть. Они видели, что несколько женщин в форме, охранявших горящую церковь, не открыли ее, а потому и сами не посмели ее открыть. Этих женщин они встретили следующим утром, когда те собрались уходить из деревни, теперь они опознали их среди обвиняемых. Однако кто в команде был утром за старшего, был ли там вообще кто-нибудь за старшего, этого ни один свидетель сказать не мог.

— Но вы же не можете исключить, что приказания отдавала именно данная обвиняемая? — Адвокат другой обвиняемой указал свидетелям на Ханну.

Нет, исключить этого свидетели не могли, а кроме того, глядя на других обвиняемых, которые казались более испуганными, старыми, усталыми, отчаявшимися, и не хотели. По сравнению с остальными Ханна выглядела лидером. К тому же наличие командира в группе надзирательниц избавляло жителей деревни от упреков. Одно дело не оказать помощи, испугавшись отряда во главе с командиром, другое — побоявшись кучки растерянных женщин.

Ханна продолжала бороться. Она признавала то, что было верно, и отрицала то, что было неверно. Отрицала со все более отчаянным упорством. Она не повышала голоса, но сама горячность, с которой она говорила, вызывала у суда удивление и неприязнь.

Наконец она сдалась. Теперь она реагировала только на вопросы, отвечала немногословно, порой рассеянно. Она отвечала сидя, будто желая продемонстрировать этим свою капитуляцию, что произвело неблагоприятное впечатление на председательствующего, который в начале процесса несколько раз говорил ей, что не обязательно отвечать стоя, можно и сидеть. К концу процесса мне уже чудилось, что суду все это надоело и хочется поскорее завершить дело; участники сидели с отсутствующим видом, будто после долгих недель пребывания в прошлом они снова вернулись в настоящее.

С меня всего этого тоже было довольно. Но я не мог отвлечься от процесса. Для меня он не кончался, а, в сущности, только начинался. Из зрителя я вдруг превратился в участника, в действующее лицо. Более того — мне выпала решающая роль, которой я не искал, но она досталась мне, хотел я того или нет, вел ли себя пассивно или решился бы что-то предпринять.

Что-то предпринять? Это могло означать лишь одно. Можно было подойти к председательствующему и сказать, что Ханна неграмотна. Что она не может нести главную ответственность, быть главной виновницей, какой ее хотят представить все остальные. Что ее поведение на суде свидетельствует не об особом упорствовании, неисправимости или дерзости, а объясняется просто незнанием предварительных материалов, текста обвинения, книжной рукописи и потому не таит в себе каких-либо тактических или стратегических уловок. Что она ущемлена в возможностях собственной защиты. Что она безусловно виновна, но не настолько тяжко, как это кажется.

Возможно, я не сумел бы убедить председательствующего. Но я побудил бы его к сомнениям, к уточнению обстоятельств. В конце концов выяснилось бы, что я прав, и Ханну бы осудили, но приговор был бы менее суровым. Она попала бы в тюрьму, но вышла бы оттуда раньше. Ведь она же и боролась за то, чтобы выйти раньше, разве не так?

Да, она боролась за это, но не желала платить за успех ценой уличения в неграмотности. Вероятно, она не хотела бы, чтобы я купил ей этим разоблачением несколько лет свободы. На такую сделку она бы могла пойти и сама, однако не пошла, не пожелала. Значит, была готова заплатить за свой выбор несколькими годами тюрьмы?

Но разве не была такая цена неоправданно высокой? Зачем она цеплялась за этот жалкий обман, почему нельзя было отказаться от него, перебороть себя? Ведь энергии, потраченной на поддержание этого обмана, с лихвой хватило бы на то, чтобы научиться читать и писать.

Я не раз пытался тогда заговорить с друзьями на эту тему. Представь себе, что человек сознательно губит себя, а ты можешь его спасти, — стал бы ты его спасать? Представь себе, что человеку предстоит операция, а он принимает наркотики, из-за которых опасно делать анестезию, но он стыдится признаться, что принимает наркотики, и ничего не говорит анестезиологу — ты бы выдал его врачу? Представь себе, что идет суд над человеком, которого ждет суровый приговор, если он не признается, что он левша и потому не мог совершить преступление, совершенное правшой, но он стыдится признаться в том, что он левша — ты сообщил бы судье правду? Или представь себе, что он голубой, но стыдится в этом признаться, хотя речь идет о преступлении, которое не могло быть совершено голубым. Дело не в том, надо ли стыдиться левше или голубому самого себя, — просто представь себе, что подсудимый чего-то ужасно стыдится.

12

Я решил поговорить с отцом. Нет, особенной близости между нами не существовало. Мой отец был человеком замкнутым. Он не мог поделиться с нами, детьми, своими чувствами, как не мог разделить и наших чувств. Долгое время мне казалось, что за этой скрытностью таятся несметные душевные богатства. Но позднее пришли сомнения. Возможно, в юности и в молодости его внутренняя жизнь была действительно богата душевными переживаниями, но поскольку они не находили выражения, то с течением лет все зачерствело и умерло.

Мне хотелось поговорить с ним именно потому, что между нами сохранялась определенная дистанция. Я хотел побеседовать с философом, написавшим книги о Канте и Гегеле, которых, как мне было известно, занимали вопросы этики. Я полагал, что он сумеет рассмотреть мою проблему абстрактно, не смущаясь, подобно моим друзьям, недостатками выдуманных мною примеров.

Когда мы хотели поговорить с отцом, он назначал нам, будто своим студентам, точное время для беседы. Он работал по большей части дома, а в университет отправлялся только для чтения лекций и проведения семинаров. Чтобы побеседовать с ним, его коллеги и студенты приходили к нам домой. Помню целую очередь студентов, которые подпирали стену в коридоре, ожидая приема; одни читали, другие рассматривали висевшие в коридоре ведуты, третьи пялились в пустоту, все молчали и лишь бормотали ответные приветствия, когда мы, дети, проходя по коридору, здоровались с ними. Нам же назначенной отцом беседы ждать в коридоре не приходилось. Но и мы должны были в определенное время постучать в его кабинет, после чего отец приглашал зайти.

Я помню два отцовских кабинета. Окна первого, в котором Ханна проводила пальцем по корешкам книг, выходили на улицу и соседние дома. Окна второго глядели на рейнскую равнину. Дом, куда мы переехали в начале шестидесятых годов и где продолжали жить родители, когда мы, дети, повзрослев, разошлись, стоял над городом на склоне холма. В обоих домах окна не столько открывали пространство внешнего мира, сколько висели в комнатах вроде картин. Отцовский кабинет напоминал барокамеру, в которой книги, рукописи, мысли, сигарный дым создавали иное атмосферное давление, чем существовавшее вовне. Эти кабинеты были мне хорошо знакомы и в то же время не переставали казаться чужими.

Отец выслушал изложение моей проблемы в абстрактном варианте, проиллюстрированном выдуманными примерами.

— Это имеет отношение к судебному процессу, не так ли? — спросил он, но тут же качнул головой, чтобы показать мне, что не ожидает ответа, ничего не выспрашивает и не хочет знать ничего такого, чего я не собираюсь рассказать сам.

Он сидел, наклонив голову в сторону, обхватив руками подлокотники, задумавшись. Он не глядел на меня. Я смотрел на его седые волосы, как всегда, плохо выбритые щеки, на глубокие морщины, прорезавшие переносицу или спускавшиеся от крыльев носа к уголкам рта. Я ждал.

Он начал издалека. Он говорил о свободе и достоинстве личности, о человеке как субъекте, к которому непозволительно относиться как к объекту.

— Помнишь, будучи еще маленьким, ты сильно возмущался, когда мама решала за тебя, что для тебя хорошо, а что плохо? Даже с детьми это целая проблема. Философская проблема, хотя философия не занимается детьми. Она уступила их педагогике, что не пошло на пользу детям. Философия забыла о детях, — он улыбнулся мне, — навсегда забыла, а не только на время, как это случалось со мной по отношению к вам.

— Но...

— Что же касается взрослых, тут вообще ничем нельзя оправдать, когда кто-то решает за других, что для них хорошо или плохо.

— Даже если потом выяснится, что это делалось для их же собственного блага?

Он покачал головой:

— Мы говорим не о благе, а о достоинстве и свободе личности. Ведь ты и маленьким хорошо понимал эту разницу. Мама всегда оказывалась права, но тебя это не утешало.

Сегодня я люблю вспоминать этот разговор. Я было забыл о нем, но, когда отец умер, я стал искать в памяти воспоминания о каких-либо хороших событиях, связанных с ним, о наших беседах. Вспомнив этот разговор, я с удивлением и радостью начал вдумываться, вслушиваться в его содержание. В тот раз отцовская смесь из абстракции и наглядных примеров озадачила меня. Но потом до меня дошел смысл сказанного, который заключался в том, что я не должен был обращаться к судье, даже не имел на это права, отчего я почувствовал облегчение.

Отец внимательно посмотрел на меня.

— Нравится тебе такая философия?

— Ну, в общем-то, я не знал, следует ли что-либо предпринимать в такой ситуации, которую я описал; меня беспокоила необходимость действовать, а если выходит, что вмешиваться нельзя, то совесть... то на душе...

Я не мог подобрать подходящего слова. Чистая совесть? На душе спокойнее? Легче? Слову «легче» не хватало чувства моральной ответственности. В словах «чистая совесть» была эта моральная ответственность, но я не мог говорить о чистой совести.

— На душе легче? — подсказал отец.

Я кивнул и одновременно пожал плечами.

— Нет, у твоей проблемы нет легкого решения. Конечно, надо действовать, если описанная тобой ситуация предполагает вытекающую из обстоятельств или принятую на себя ответственность. Если знаешь, что для другого человека есть благо, а он не видит этого, надо попытаться открыть ему глаза. Последнее слово должно остаться за ним, но надо с ним говорить, с ним самим, а не за его спиной с кем-то другим.

Поговорить с Ханной? Но что сказать ей? Что я разгадал ее обман? Что ей вот-вот придется заплатить всей жизнью за этот глупый обман? Что он не стоит такой жертвы? Что надо бороться за то, чтобы не просидеть в тюрьме дольше положенного срока, потому что потом своей жизнью еще можно воспользоваться для множества разных дел? Каких, собственно? И что делать ей дальше со своей жизнью? Имел ли я право лишать ее этого обмана, этой иллюзии, не открывая новой жизненной перспективы? Я не знал, какой может быть ее более или менее длительная жизненная перспектива, и не знал, с чем прийти к ней, если для начала придется сказать — мол, после содеянного вполне справедливо, что на ближайшее, и не только ближайшее, время ее жизненной перспективой станет тюрьма. Я не знал, с чем прийти к ней и как я вообще сумею ей что-либо сказать. Я вообще не представлял, как сумею к ней прийти.

Я спросил отца:

— А что будет, если не можешь поговорить с тем человеком?

В глазах отца появилось сомнение, и я сам понял, что вопрос был уже неуместен. Морализировать больше не стоило. Пора было на что-то решаться.

— Я не сумел тебе помочь. — Отец встал, я тоже. — Нет, можешь не уходить, у меня просто заболела спина. — Он стоял, сгорбившись и прижав ладони к почкам. — Не скажу, что расстроен тем, что не сумел тебе помочь. Это я говорю тебе как философ, если ты обратился ко мне в этом качестве. А вот как отцу мне невыносима мысль, что я не могу помочь собственным детям.

Я ждал, но он ничего не добавил. Мне подумалось, что он не слишком утруждает себя разговором со мной; я знал, когда ему следовало побольше заниматься нами и чем он мог нам тогда помочь. Но потом я подумал, что он тоже знает это и, наверное, действительно сильно переживает. Так или иначе, сказать мне ему было нечего. Я смутился и почувствовал, что он тоже смущен.

— Что ж, тогда...

— Заходи ко мне в любое время. — Отец взглянул на меня.

Я не поверил ему, но кивнул.

13

В июне суд улетел на две недели в Израиль. Для получения свидетельских показаний там хватило бы нескольких дней. Но судьям и прокурорам захотелось связать служебную командировку с туристической поездкой, чтобы посмотреть Иерусалим и Тель-Авив, пустыню Негев и Красное море. С точки зрения бюрократической, бухгалтерской, против такого совмещения командировки с отпуском возразить было нечего. И все же мне это казалось бестактным.

Я решил целиком посвятить обе недели учебе. Но дела пошли не так, как я задумал. Не получалось сконцентрироваться на занятиях, на лекциях профессоров, на чтении учебников. Мои мысли уносились прочь, теряясь в видениях, которые возникали перед глазами.

Я видел Ханну возле горящей церкви, с жестоким лицом, в черной форме, в руке хлыст. Этим хлыстом она чертит на снегу вензеля или постукивает себя по голенищу сапога. Я видел, как ей читают вслух. Она слушает внимательно, не задавая вопросов, не делая замечаний. Когда чтение заканчивается, она сообщает девушке о том, что утром ее отправляют в Аушвиц. Девушка, худая, с едва отросшими после стрижки наголо черными волосами, щурит близорукие глаза и начинает плакать. Ханна стучит в стенку, входят две женщины в полосатой арестантской одежде и вытаскивают девушку из комнаты. Я видел, как Ханна прохаживается по лагерю, заглядывает в бараки, наблюдает за ходом строительных работ. Все это она делает с тем же жестоким выражением лица, глаза холодные, губы сжаты, заключенные под ее взглядом ежатся, склоняются над инструментом, жмутся к стене, словно желая вдавиться в эту стену, спрятаться внутри. Иногда я вижу сразу много заключенных, они суетятся или строятся в шеренги, идут, пытаются шагать в ногу, а Ханна стоит тут же, отдавая команды — жуткая гримаса орущего лица, — порой она подгоняет заключенных хлыстом. Я видел, как рушится на церковную крышу колокольня, как взлетают вверх снопы искр, слышал отчаянные женские крики. Видел я и следующее утро, дотла сгоревшую церковь.

Кроме этих видений, были у меня и другие. Ханна, надевающая на кухне чулки или стоящая с полотенцем перед ванной, мчащаяся с развевающейся юбкой на велосипеде или замершая в отцовском кабинете, танцующая перед зеркалом или пристально глядящая на меня в купальне, Ханна — как она меня слушает или разговаривает со мной, улыбается мне или как она любит меня. Хуже всего было, когда эти видения перемешивались. Тогда я видел, как Ханна любит меня, и при этом у нее холодные глаза, плотно сжатые губы; она молча слушает, как я читаю ей вслух, а потом стучит в стену; она разговаривает со мной, и вдруг ее лицо искажается гримасой крика. Особенно тяжелы были кошмары, в которых жестокая, беспощадная Ханна возбуждала меня, после чего я просыпался, испытывая вожделение, тоску, жгучий стыд и возмущение. А еще — страх от непонимания: какой же я на самом деле.

Я знал, что мои грезы были всего лишь расхожими клише. Они были несправедливы по отношению к той Ханне, которую я любил. Но в то же время в них таилась какая-то огромная сила. Они искажали прежний образ Ханны, соединяясь с картинами, запомнившимися по фотографиям концентрационных лагерей.

Оглядываясь сегодня на те годы, я обнаруживаю, что у нас было до странности мало наглядного материала, который помог бы представить, как жили люди в лагерях и как их уничтожали. Аушвиц был нам известен лишь по воротам с их надписью, по многоярусным деревянным нарам, кучам волос, очков и чемоданов; Биркенау — по арочной башне с боковыми порталами и подъездным железнодорожным путям; Берген-Бельзен — по горам трупов, найденных и сфотографированных союзниками после освобождения лагеря. Были известны некоторые свидетельства заключенных, но большинство их было опубликовано сразу после войны или появилось снова в восьмидесятые годы, а в промежутке издательства к ним не обращались. Теперь есть множество книг и кинофильмов, лагерная жизнь стала частью тех представлений, которыми мы сообща дополняем нашу реальность. Наша фантазия освоила мир концлагерей, а с тех пор как по телевидению прошел сериал «Холокост», в кинотеатрах были показаны «Выбор Софи» и особенно «Список Шиндлера», мы не только освоились в нем, но даже начали кое-что присочинять и разукрашивать. В те же времена фантазия молчала, ибо казалось, что потрясение, которое не может не вызывать мир концлагерей, несовместимо с игрой фантазии. Она лишь снова и снова возвращалась к немногочисленным снятым союзниками фотографиям или свидетельствам бывших заключенных, пока все это не застыло в виде расхожих клише.

14

Я решил уехать. Если бы можно было быстро оформить поездку в Аушвиц, я бы сделал это. Но для получения визы требовалось несколько недель. Поэтому я выбрал Штрутхоф в Эльзасе. Это был ближайший концлагерь. Раньше мне их видеть не доводилось. Мне хотелось уничтожить клише с помощью действительности.

Я добирался туда на попутных машинах; помню грузовик с шофером, который опустошал одну бутылку пива за другой, помню и водителя «мерседеса», который сидел за рулем в белых перчатках. За Страсбургом мне повезло — подвернулась попутка до Ширмека, маленького городка неподалеку от Штрутхофа.

Когда я сказал водителю, куда именно направляюсь, он замолчал. Я посмотрел на него, но не смог угадать по лицу, почему он вдруг умолк посреди оживленной беседы. Это был человек средних лет, с худым лицом и багровым родимым пятном на правом виске; его темные волосы были аккуратно расчесаны на пробор. Он сосредоточенно уставился на дорогу.

Перед нами простирались холмистые Вогезы. Мы въехали меж виноградников в открывшуюся перед нами, слегка поднимающуюся пологую долину. Справа и слева на склонах холмов рос смешанный лес, навстречу попадались то каменоломня, то кирпичное здание фабрики с гофрированной крышей, то старый санаторий, то окруженная высокими деревьями большая вилла со множеством башенок. Иногда слева, иногда справа от шоссе появлялась железная дорога.

Потом водитель снова заговорил. Он спросил, зачем я еду в Штрутхоф; я рассказал о судебном процессе и о том, что мне не хватает наглядного материала.

— Стало быть, хотите понять, почему люди делают такие ужасные вещи? — Прозвучало это довольно иронично. Впрочем, возможно, что меня сбивали с толку интонации его диалекта. Не дожидаясь ответа, он продолжил: — А что вы, собственно, хотите понять? Вот когда убивают в порыве страсти, из любви, из ревности, из мести или защищая свою честь — это вам понятно?

Я кивнул.

— А вам понятно, когда убивают ради богатства или власти? Когда убивают на войне или во время революции?

Я опять кивнул.

— Но...

— Но те, кого убивали в концлагерях, ни в чем перед убийцами не провинились... Вы ведь это собирались сказать? Вы собирались сказать, что никаких причин для ненависти не было и что убивали не на войне?

Мне не хотелось опять кивать. Все, что он говорил, было верно, только мне не нравилось, как он это говорил.

— Вы правы, убивали не на войне и никаких причин для ненависти не было. Но ведь и палачу не обязательно ненавидеть осужденного, а он его все равно казнит. Только ли по приказу? Вы думаете, он делает это только по приказу? Вы думаете, что я сейчас говорю о приказе и повиновении, о том, что персоналу концлагерей отдавались приказы, а он их только исполнял? — Он презрительно усмехнулся. — Нет, я говорю не о приказе и повиновении. Палач не исполняет приказы. Он делает свою работу — безо всякой ненависти к тем, кого казнит, без чувства мести, он убивает их не потому, что они стоят у него на пути или чем-то угрожают ему. Он к ним абсолютно равнодушен. Настолько равнодушен, что ему все равно — убивать их или нет.

Он взглянул на меня.

— И никаких «но». А теперь давайте рассказывайте мне про то, что человек не должен быть равнодушен к другим. Разве вас этому не учили? Разве не внушали сочувствия к любому, кто имеет человеческий облик? Не твердили о человеческом достоинстве? О благоговении перед жизнью?

Я чувствовал возмущение и одновременно беспомощность. Я не находил слов для ответа, который сразу опроверг бы его, заставил заткнуться.

— Однажды мне попались фотографии расстрела евреев в России, — продолжил он. — Они были голыми, их выстроили длинной шеренгой на краю траншеи, позади них стояли солдаты, которые стреляли евреям в затылок. Все это происходит в старой каменоломне; вверху, на обрыве, над евреями и солдатами, сидит офицер, болтая ногами и куря сигарету. У него скучающий вид. Возможно, ему кажется, что дело слишком затянулось. Но есть в его лице и что-то довольное, даже ублаготворенное — может, потому, что работа подходит к концу и скоро можно будет отдохнуть, развлечься на досуге. В нем нет ни малейшей ненависти к евреям. Он не...

— Это были вы? Это вы сидели там?

Он резко затормозил. Лицо его было бледным, на виске полыхало родимое пятно.

— Вон отсюда!

Я вылез из машины. Он рванул с места, мне даже пришлось отскочить в сторону. На ближайшем повороте взвизгнули тормоза. Потом стало тихо.

Я пошел по дороге, которая поднималась в гору. Ни попутных, ни встречных машин не было. Я слышал щебет птиц, шорох ветра в листве, иногда журчание ручья. Мне дышалось легко, свободно. Через четверть часа я добрался до концлагеря.

15

Недавно я опять ездил туда. Была зима, день выдался ясный, холодный. За Ширмеком леса стояли заснеженными, землю запорошило, и ветки деревьев были припудрены белым. Вытянутая в длину территория концлагеря, расположенного на ниспадающих горных террасах с видом на Вогезы, сияла белизной под солнцем. Серо-голубой цвет двух- или трехъярусных сторожевых вышек и одноэтажных бараков приятно контрастировал с этой белизной. Разумеется, были тут и опутанные колючей проволокой ворота с надписью «Концентрационный лагерь Штрутхоф-Нацвайлер», и двойная ограда из колючей проволоки вокруг лагеря. Раньше бараки плотно теснились друг к другу, теперь их осталось немного, земли между ними не было видно под блескучим снежным покровом. Здесь можно было бы устроить горку для катания на санках, дети могли бы размещаться во время зимних каникул в этих веселеньких бараках с решетчатыми окошками, куда их звали бы после катания на пироги и горячий шоколад.

Концлагерь был закрыт. Я побродил вокруг по сугробам, промочил ноги. Вся территория была хорошо видна снаружи, и мне вспомнилось, как тогда, при первом посещении лагеря, я спускался по ступенькам лестницы, шедшей меж каменных фундаментов, оставшихся от снесенных бараков. Вспомнил печь крематория, выставленную в одном из бараков, и то, что другой барак был поделен на множество отсеков. Вспомнил мои тогдашние тщетные попытки представить себе лагерь заполненным заключенными и охраной, представить себе, как страдали здесь люди. Я действительно старался сделать это, даже закрыл глаза и мысленно поставил ряды бараков один за другим. Я измерил барак, справился по проспекту, на скольких заключенных он был рассчитан, ужаснулся немыслимой тесноте. Прочитав, что террасы служили лагерными плацами для поверок, я попытался вообразить их заполненными сверху донизу шеренгами заключенных, старался увидеть их спины. Все было напрасно, ничего не получалось, отчего у меня возникло чувство неловкости, стыда. Возвращаясь назад, я обнаружил внизу на склоне, напротив ресторана, небольшое строение, где, как говорилось в проспекте, находилась газовая камера. Оно было выкрашено в белый цвет, окна и двери — в желтый, здесь мог бы размещаться склад, а могло и жилое помещение для персонала. Дом этот также был закрыт, и я не помнил, чтобы осматривал его в первый раз. Я не стал выходить из машины. Сидел в ней с включенным двигателем и смотрел. Потом поехал дальше.

Поначалу, проезжая на обратном пути мимо эльзасских деревень, я не решался подыскать ресторанчик, чтобы пообедать. Причиной нерешительности были не столько реальные переживания, сколько мысль о том, какие переживания и какое поведение должны приличествовать состоянию человека, только что посетившего концлагерь. Поняв это, я пожал плечами и остановился в деревушке на склоне Вогез у ресторана «Au Petit Garçon» — «У Малыша». От моего столика открывался вид на равнину. «Малыш» — так называла меня когда-то Ханна.

Во время первой поездки я бродил по концлагерю до самого закрытия мемориального комплекса. Потом я присел у памятника, который стоит над лагерем и как бы глядит на него. Я ощущал внутреннюю пустоту, будто искал чего-то не там, за оградой, а в себе самом, чтобы в конце концов убедиться, что внутри пусто.

Затем стемнело. Пришлось ждать целый час, пока меня не подобрал грузовичок с открытым кузовом, который довез меня до ближайшей деревни. В этот день на попутку рассчитывать не приходилось, поэтому я снял дешевый номер в доме для приезжих, где и поужинал, получив худосочный бифштекс с жареной картошкой и горошком.

За соседним столиком шумно играли в карты четверо мужчин. Дверь открылась, в ресторанчик, не здороваясь, вошел маленького роста старик. Он был в шортах, одна нога у него была деревянной. Он заказал себе у стойки пива, повернулся к столику с картежниками спиной и несоразмерно большим лысым затылком. Мужчины положили карты на стол, полезли в пепельницы за окурками, которые один за другим полетели старику в затылок. Старик принялся от них отмахиваться, словно от мух. Хозяин поставил ему на стойку пиво. Никто не произнес ни слова.

Я не смог усидеть на месте, вскочил, бросился к соседнему столику:

— Немедленно прекратите!

Я дрожал от возмущения. В этот момент старик подскоками подлетел к столику, мгновенно отцепил деревянный протез, схватил его обеими руками и грохнул об стол, да так, что стаканы и пепельницы подпрыгнули, после чего он опустился здесь же на свободный стул. При этом его беззубый рот начал давиться смехом, остальные разразились громким пьяным хохотом.

— Немедленно прекратите! — повторяли они, показывая на меня пальцами. — Немедленно прекратите!

Ночью поднялся сильный ветер. Холодно мне не было, да и завывание ветра, скрип деревьев за окном или редкое хлопанье ставен были не такими уж громкими, чтобы не давать мне заснуть. Но на душе становилось отчего-то все тревожнее, и в конце концов я начал дрожать всем телом. Меня охватил страх, но не потому, что я ожидал чего-то ужасного, просто таким было мое физическое состояние. Я лежал, слушал рев ветра, чувствовал облегчение, когда ветер стихал, боялся, что буря поднимется снова, и совершенно не мог представить себе, что завтра смогу встать, поехать на попутках обратно, смогу учиться дальше, а когда-нибудь начну работать, обзаведусь женой и детьми.

Я был готов понять и одновременно осудить преступление, совершенное Ханной. Но все-таки оно было слишком ужасным. Если я пытался понять его, то у меня возникало чувство, что я не смогу осудить его так, как оно должно быть осуждено. Если же я осуждал так, как оно должно быть осуждено, то не оставалось места для понимания. И все же мне хотелось понять Ханну, ибо своим непониманием я бы снова предал ее. У меня ничего не получалось. Я был готов мучиться над двойной проблемой: осуждением и пониманием. Только двойного решения не находилось.

Следующий день был вновь по-летнему погож. С попутками проблем не возникло, я добрался до дому всего за несколько часов. Я шел по городу с таким чувством, будто отсутствовал долгие годы: улицы, дома и люди казались мне совершенно чужими. Но и чуждый мир концлагеря не стал мне от этого ближе. Впечатления от Штрутхофа встали в один ряд с немногочисленными, уже существовавшими в моем сознании картинами Аушвица, Биркенау и Берген-Бельзена, превратились в такие же расхожие клише.

16

И все-таки я решился на разговор с председателем суда. На разговор с Ханной у меня не хватило сил. Но и ничего не делать я тоже не мог.

Почему у меня не хватило сил на разговор с Ханной? Она бросила меня, обманула, была не такой, какой она мне виделась и какой я ее себе нафантазировал. Да и кем я был для нее? Маленький чтец, который ее развлекал, маленький любовник, который ее забавлял? Может, она и меня отправила бы в газовую камеру, если бы захотела от меня избавиться, но не знала другого способа?

Почему я не мог ничего не делать? Я внушил себе, что обязан не допустить несправедливого приговора. Дескать, надо добиться, чтобы справедливость восторжествовала, невзирая на тайну Ханны, ради которой она пошла на обман, — так сказать, справедливость во имя Ханны и одновременно против нее. Но на самом деле речь для меня шла не только о справедливости. Я не мог оставить Ханну такой, какой она была или хотела быть. Мне нужно было что-то изменить, добиться какого-то влияния на нее, если не прямого, то хотя бы косвенного.

Председательствующий знал нашу семинарскую группу и охотно согласился уделить мне некоторое время после очередного судебного заседания. Я постучался в его комнату, он пригласил меня войти, поздоровался, предложил сесть на стул перед своим письменным столом. Сам он сидел за письменным столом в одной рубашке. Его судейская мантия висела на спинке кресла. Он, вероятно, прислонился к спинке, и мантия как бы сама скользнула вниз. Вид у него был весьма благодушный, он производил впечатление человека, который хорошо поработал и доволен результатами минувшего трудового дня. Без того недоуменного выражения лица, за которым прятался в ходе судебного процесса, он выглядел симпатичным, интеллигентным, невредным чиновником. Он сразу же завел непринужденный разговор, принялся расспрашивать о том о сем. Его интересовало, что думает наш семинар об этом процессе, что собирается делать профессор с нашими протоколами, на каком семестре я учусь, почему пошел на юридический факультет и когда собираюсь сдавать выпускные экзамены. Мол, важно не тянуть с выпускными экзаменами.

Я ответил на все его вопросы. Затем выслушал его рассказ о том, как он сам учился и сдавал экзамены. Вот уж он-то все делал правильно. Исправно посещал лекции и семинары, хорошо учился, успешно и в срок сдал экзамены. Ему нравилось быть юристом, судьей, и если бы вновь пришлось выбирать для себя поприще, он сделал бы тот же самый выбор.

Окна были открыты. На стоянке машин хлопали дверцы, запускались моторы. Я прислушивался к ним, пока они не растворились в общем шуме уличного движения. Потом с опустевшей стоянки стали доноситься голоса играющей детворы. Мне были отчетливо слышны каждый возглас, каждое названное имя, каждое слово из перебранки.

Судья встал, чтобы попрощаться. Пригласил заходить, если у меня опять возникнут вопросы. Или если понадобится добрый совет насчет учебы. Выразил желание получить информацию о результатах работы нашего семинара.

Я вышел на пустую автостоянку. Попросил мальчугана постарше объяснить мне дорогу до вокзала. Мои сокурсники уехали на машине сразу после судебного заседания, поэтому мне надо было возвращаться поездом. Это был вечерний поезд, на котором люди ехали с работы; он останавливался на каждой станции, люди входили и выходили, я сидел у окна, меня окружали то и дело сменявшиеся пассажиры, разговоры, запахи. За окном мелькали дома, улицы, машины, деревья, а вдали виднелись горы, замки и каменоломни. Я видел все это и ничего не чувствовал. Я не чувствовал обиды на Ханну за то, что она бросила меня, обманула, за то, что она пользовалась мною. Мне уже ничего не хотелось делать, чтобы как-то изменить ее. Та притупленность, с которой воспринимались ужасы, всплывавшие в ходе судебного процесса, перенеслась теперь на все мои мысли и чувства последних недель. Вряд ли можно сказать, что я был рад этому. Но мне показалось, что так будет правильно. Теперь я смогу вернуться к своей прежней, обычной жизни.

17

Приговор был оглашен в конце июня. Ханну осудили на пожизненное заключение, остальные получили разные сроки.

Зал суда был полон, как в самом начале процесса. Присутствовали судебный персонал, студенты из нашего и местного университетов, целый школьный класс, множество журналистов, в том числе иностранных, не говоря уж о публике, которая любит ходить по судам. Было шумно. Поначалу никто не обращал внимания на введенных обвиняемых. Постепенно все притихли. Первыми замолкли те, кто сидел впереди. Они принялись подталкивать соседей в бок, оборачиваться к задним рядам. Они шептали: «Глядите-ка!», а те, к кому обращались, в свою очередь также начинали подталкивать соседей, оборачиваться назад, перешептываться. В конце концов в зале суда воцарилась тишина.

Не знаю, представляла ли себе Ханна, как она выглядит. Возможно, именно так она и хотела выглядеть. На ней был черный костюм с белой блузкой, причем костюм был похож своим покроем на форму, что подчеркивалось галстуком на блузке. Я никогда не видел женской эсэсовской формы. Однако, по-моему, не мне одному, но и остальным показалось, что перед нами сидит женщина в черной эсэсовской форме, действительно совершившая все то, в чем обвиняют Ханну.

Публика опять начала перешептываться. В этом шепоте явственно слышалось возмущение. Люди сочли это издевкой над судебным процессом, над приговором и над самой публикой, собравшейся на оглашение приговора. Шум нарастал, раздались гневные выкрики в адрес Ханны. Это продолжалось, пока в зал не вошел суд, после чего председательствующий, бросивший на Ханну недоуменный взгляд, принялся зачитывать приговор. Ханна выслушала приговор стоя, она держалась прямо и ни разу не шевельнулась. Пока зачитывалось обоснование приговора, она сидела. Я не мог оторвать взгляда от ее затылка.

Оглашение приговора длилось несколько часов. Когда все закончилось и осужденных стали уводить, я ждал, что Ханна обернется ко мне. Я сидел на своем обычном месте, где сидел всегда. Но она смотрела прямо перед собой, сквозь присутствующих. Гордый, оскорбленный, отчаявшийся и бесконечно усталый взгляд. Взгляд, не желающий видеть никого и ничего.

Часть третья

1

Все лето после окончания судебного процесса я провел в читальном зале университетской библиотеки. Я приходил к открытию зала и уходил, когда он закрывался. По выходным занимался дома. Я отдавал все время только учебе, поэтому все мысли и чувства, которые были притуплены судебным процессом, так и остались притупленными. Из родительского дома я ушел, снимал комнату. Немногочисленных знакомых, которые пытались заговаривать со мной в читальном зале или во время моих редких походов в кино, я от себя отталкивал.

На протяжении зимнего семестра я по-прежнему чурался людей. Тем не менее группа сокурсников предложила мне поехать с ними на рождественские каникулы покататься на лыжах. Я удивился, но согласился.

Катался на лыжах я не очень хорошо. Однако лыжи любил и не уступал в скорости даже отменным лыжникам. Иногда я выбирал спуски, которые были для меня слишком сложными, рискуя упасть и сломать себе руку или ногу. Я делал это сознательно. Зато я совершенно не сознавал другого риска, что в конце концов меня и подвело.

Я никогда не мерз. Другие катались на лыжах в свитерах и куртках, я же оставался в одной рубашке. Кое-кто лишь головой качал, но меня это подзадоривало еще больше. Разного рода предупреждений я вообще не принимал всерьез. Не мерз я, вот и все. Когда стал кашлять, то решил, что виной тому австрийские сигареты. Потом начался сильный жар, мне он даже нравился. Я чувствовал слабость и одновременно необычайную легкость, все ощущения были приятно приглушены, я был как бы окутан ватой. Я словно парил над землей.

Жар усилился настолько, что меня отправили в больницу. Когда я выписался, отупение прошло. Все вопросы, страхи, самообвинения, угрызения совести, все ужасы и вся боль, которые мучили меня во время процесса, а потом притупились, теперь вновь вернулись и уже не отпускали меня. Не знаю, какой диагноз ставят врачи человеку, который не мерзнет тогда, когда должен мерзнуть. По моему собственному диагнозу, дело было в том, что я страдал притупленностью чувств, которая потом меня отпустила или я отпустил ее.

Когда я кончил учебу и начал стажироваться, настало лето студенческих волнений. Я интересовался историей, социологией и, будучи стажером, довольно часто бывал в университете, поэтому видел там многое. Видел, но ни в чем не участвовал. В конечном счете реформа системы высшего образования волновала меня столь же мало, как и американцы с вьетконговцами. Что же касалось третьей и главной темы студенческого движения, осмысления национал-социализма, то меня отделял от других студентов такой барьер, что участвовать в их агитации или демонстрациях я просто не мог.

Иногда я думал, что споры о национал-социализме были не столько причиной, сколько выражением конфликта поколений, который, собственно, и служил движущей силой студенческих волнений. Все возлагаемые на детей родительские надежды, от которых должно освободиться каждое следующее поколение, были похоронены хотя бы потому, что сами родители обнаружили свою полную несостоятельность во времена Третьего рейха и сразу после. Да и каким авторитетом у собственных детей могли пользоваться те, кто либо совершал преступления во времена нацизма, либо был их молчаливым, не протестующим свидетелем, либо терпимо отнесся к преступникам после 1945 года. С другой стороны, проблема нацистского прошлого волновала и тех детей, которые не могли или не хотели в чем-либо упрекать своих родителей. Для них нацистское прошлое было действительно проблемой, а не просто выражением конфликта поколений.

Что бы ни говорилось о коллективной вине с моральной или юридической точки зрения — для моего поколения студентов это было частью реального жизненного опыта. Ведь это относилось не только к тому, что происходило во времена Третьего рейха. Осквернение еврейских надгробий знаками свастики, множество старых нацистов, занимающих ныне высокие посты в судах, в административных органах, в университетах, непризнание государства Израиль, недостаточная информированность о тех, кто уехал в эмиграцию или участвовал в Сопротивлении, и выдвинувшиеся на первый план фигуры бывших приспособленцев — все это наполняло нас жгучим стыдом, хотя мы и могли показать пальцем на виновных. Указание на виновных не освобождало нас от чувства стыда. Зато сам стыд был не так мучителен. Пассивные переживания преобразовывались в энергию действия и агрессии. А конфликт с виновными родителями был особенно заряжен энергией.

Я ни на кого не мог показывать пальцем. В том числе на собственных родителей, потому что мне не в чем было их упрекнуть. То миссионерское рвение, которое побудило меня в период занятий нашего семинара осудить отца, позднее улеглось, поутихло, я даже испытывал неловкость за эту прежнюю истовость. Но все, в чем были повинны люди старшего поколения из моей среды, не могло сравниться по тяжести с виной Ханны. Вот на кого я должен был бы показывать пальцем. Только обвинения в адрес Ханны обращались на меня самого. Я любил ее. Не только любил, я избрал ее. Я пытался убедить себя, что, избирая Ханну, ничего не знал о ее прошлом. Пытался убедить себя в собственной невинности, с какой дети любят своих родителей. Но любовь к родителям — это единственная любовь, за которую не несешь ответственности.

А может быть, надо отвечать и за любовь к родителям. Я завидовал тогда студентам, которые порвали со своими родителями, а следовательно, и со всем поколением преступников, соучастников, приспособленцев, молчаливых свидетелей и тех, кто закрывал глаза на происходящее, мирился с ним; благодаря этому можно было избавиться если не от самого чувства стыда, то, по крайней мере, от его мучительности. Только откуда возникала у них эта торжествующая самоуверенность, которую я видел так часто? Разве можно испытывать чувство вины, стыда и быть при этом столь торжествующе самоуверенным? Может, разрыв с родителями был лишь своего рода риторикой, шумом, криком, который должен заглушить догадку, что любовь к родителям необратимо связана с причастностью к их вине?

Все это размышления более позднего времени. Но и позднее они не принесли утешения. Ведь не могло стать утешением то, что мои страдания от любви к Ханне в определенной мере повторяли судьбу моего поколения, были немецкой судьбой, которой я не мог избежать и которую мне не удалось перехитрить, как это сделали другие. Пожалуй, в те времена мне было бы легче, если бы я сильнее ощущал причастность к моему поколению.

2

Я женился в период стажерства. Мы познакомились с Гертрудой во время тех самых лыжных каникул; остальные тогда разъехались, а она осталась дожидаться моей выписки из больницы, после чего забрала меня с собой. Она тоже была юристом; мы вместе учились, вместе сдали первый госэкзамен, вместе стажировались. Мы поженились, когда выяснилось, что Гертруда беременна.

О Ханне я ей ничего не рассказывал. Кому интересно, думал я, знать о прежних связях, особенно если новые отношения складываются не слишком счастливо. Гертруда была умной, трудолюбивой, терпимой, и если бы мы жили в деревне, вели большое хозяйство со множеством работников и работниц, имели кучу детей, были бы постоянно заняты делами, которые не оставляли бы нам времени друг для друга, то были бы вполне довольны своей жизнью и счастливы. Но мы с нашей дочерью Юлией обитали в пригородной новостройке, в трехкомнатной квартире, и оба работали стажерами. Я никак не мог перестать сравнивать Гертруду с Ханной и, обнимая Гертруду, не мог отделаться от ощущения, что у нас с ней что-то неладно, что я ее как-то не так чувствую, что она как-то не так пахнет. Я думал, со временем это пройдет. Надеялся, что пройдет. Мне хотелось освободиться от Ханны. Но ощущение неладности не прошло.

Мы развелись, когда Юлии исполнилось пять лет. Просто больше не могли жить вместе, но разошлись без какого-либо ожесточения и остались добрыми друзьями. Меня мучило лишь то, что мы не смогли дать Юлии настоящей теплоты, в которой она заметно нуждалась. В периоды, когда между нами с Гертрудой устанавливались более сердечные отношения, Юлия купалась в них. Она чувствовала себя в этой стихии как рыба в воде. Замечая наше взаимное охлаждение, она металась от матери ко мне, показывая, как любит нас, и желая удостовериться, что мы любим ее. Ей хотелось братишку; наверно, она была бы счастлива, если бы у нее было много братьев и сестер. Она долго не могла понять, что такое развод; вечно уговаривала меня остаться, когда я навещал ее, или хотела привести с собой мать, когда приходила ко мне в гости. Когда я уходил от нее и видел, садясь в машину, ее печальный взгляд из окна, у меня разрывалось сердце. То, чем мы ее обделили, казалось мне, было не просто ее желанием — она имела на это право. Совершив развод, мы нарушили ее право, и от того, что решение о разводе было обоюдным, вина каждого не становилась наполовину меньше.

С другими женщинами я пытался учесть свою ошибку. Я сознавал, что мне хочется, чтобы женщина была чем-нибудь немножко похожа на Ханну. Я рассказывал им о Ханне. Рассказывал им и о себе больше, чем прежде Гертруде, поскольку считал, что так они смогут лучше разобраться в моих поступках и настроениях. Но женщин все это не особенно интересовало. Помню Хелену, занимавшуюся американской литературой, — она молча, утешительно поглаживала меня по спине, пока я рассказывал о себе, и так же молча, так же утешительно продолжала поглаживать, когда я умолкал. Гезина, работавшая психоаналитиком, считала, что мне следует разобраться в моих отношениях с матерью. Дескать, разве мне не бросается в глаза, что я избегаю упоминать мать, рассказывая собственную историю? Хильке, дантистка, постоянно расспрашивала меня о событиях, происходивших до нашего знакомства, но рассказанное тут же забывала. Потом я опять бросил эти рассказы. Если правда того, что говорится, состоит в том, что делается, тогда разговоры и вовсе не нужны.

3

Профессор, проводивший наш семинар, посвященный нацистским концлагерям, умер в те дни, когда я сдавал второй госэкзамен. Гертруда случайно увидела извещение о его смерти в одной из газет. Похороны должны были состояться на кладбище Бергфридхоф. Гертруда спросила, не собираюсь ли я пойти туда.

Мне не хотелось. Похороны были назначены на вторую половину четверга, а в первую половину четверга и пятницы я должен был писать экзаменационную работу. Да и особой близостью наши отношения с профессором не отличались. А кроме того, я вообще не любил похорон. И не хотел никаких напоминаний о судебном процессе.

Но было уже поздно. Напоминание состоялось, и, вернувшись в четверг домой с письменного экзамена, я вдруг почувствовал себя не вправе уклоняться от встречи с прошлым, которое позвало меня.

Я поехал туда на трамвае, чего обычно не делаю. Такая поездка уже сама по себе была встречей с прошлым, как бы возвращением в давно знакомые, но со временем сильно переменившиеся места. Когда Ханна работала кондукторшей, трамвайный состав обыч-

162

но насчитывал два или три вагона, в каждом имелись передняя и задняя площадки, существовали подножки, на которые можно было вскочить на ходу, и через все вагоны тянулся шнур, которым кондуктор давал сигнал к отправлению. Летом трамваи ходили с открытыми вагонами. Кондуктор продавал билеты, компостировал их и проверял их наличие, он выкрикивал названия остановок, давал звонком сигнал к отправлению, присматривал за детворой, теснившейся на задней или передней площадке, ругался с пассажирами, которые вскакивали на подножку или собирались соскочить с нее на ходу, не пускал лишних, когда вагон был переполнен. Кондукторы бывали веселыми, острыми на язычок, серьезными, ворчливыми или грубыми; в зависимости от темперамента или настроения кондуктора в вагоне воцарялась соответствующая атмосфера. До чего глупо, что я после той неудачной попытки устроить Ханне сюрприз по дороге до Швецингена не решился больше посмотреть, как она работала кондукторшей.

Сев в трамвай без кондуктора, я поехал до кладбища Бергфридхоф. Стоял холодный осенний день, с безоблачного, чуть затуманенного неба светило желтое солнце, которое уже не греет и на которое не больно смотреть даже в упор. Понадобилось какое-то время, прежде чем я нашел могилу, у которой проходило прощание с покойным. Я плутал меж высоких, оголившихся деревьев и среди старых надгробий. Порой в стороне я замечал кладбищенского служителя или старую женщину с лейкой и садовыми ножницами в руках. Было тихо, поэтому песнопение, доносившееся с могилы профессора, я услышал издалека.

Остановившись в сторонке, я обвел глазами собравшихся. Некоторые из них выглядели несколько странно, имели вид явно чудаковатый. В надгробных речах о жизни и деятельности профессора не раз слышался намек на то, что он, освободившись от ряда навязываемых нашим обществом стереотипов, потерял с ним контакт, сделался одиночкой с неизбежными в таком случае странностями и чудачествами.

Я узнал одного из участников тогдашнего семинара; он сдал госэкзамены раньше меня, начал работать адвокатом, потом стал хозяином ресторанчика. Он пришел в долгополом красном пальто. Когда все кончилось и я направился к выходу с кладбища, он окликнул меня.

— Мы ведь вместе участвовали в семинаре, помнишь меня?

— Конечно.

Мы обменялись рукопожатием.

— Я приезжал на процесс по средам и иногда подвозил тебя. — Он улыбнулся. — Ты-то там целыми днями просиживал, неделями. Может, теперь скажешь почему?

Взгляд у него был добродушный и любопытный, и мне вспомнилось, что тем летом я уже ловил на себе такой же взгляд.

— Меня очень интересовал этот процесс.

— Процесс интересовал? — Он опять улыбнулся. — Процесс или подсудимая, на которую ты все время пялился? Она была весьма недурна. Мы все еще гадали, что там между вами было, только спросить никто не решился. Тогда ведь мы все были до ужаса деликатными, чуткими. А помнишь...

Он назвал еще одного участника нашего семинара, который мало того что заикался и пришепетывал, но еще был жутким болтуном, постоянно нес околесицу, мы же внимали ему с таким видом, будто восхищены его красноречием. Он принялся перечислять других участников семинара, вспоминать, какими они были тогда, рассказывать, чем они заняты теперь. Он говорил и говорил. Но я знал, что в конце концов он спросит: «Ну ладно, а что же у тебя все-таки было с той подсудимой?» И я не знал, что скажу, как откажусь от Ханны и уклонюсь от ответа.

У самого выхода с кладбища он задал свой вопрос. В это время к остановке как раз подходил трамвай, я крикнул «Пока!» и бросился бежать так, будто собираюсь вскочить на подножку; трамвай уже опять тронулся, я кинулся вдогонку, побежал рядом, стуча о дверь, и случилось чудо, на которое я даже не надеялся. Трамвай затормозил, двери открылись, я вошел в вагон.

4

После стажировки настала пора выбирать себе профессию. Я не торопился; Гертруда сразу поступила на должность судьи, была очень занята, и мы даже были рады, что я могу посидеть дома с Юлией. Но когда Гертруда справилась с трудностями начального периода, а Юлия пошла в детский сад, мне нужно было на что-то решаться.

Решение давалось мне тяжело. Меня не устраивала ни одна из тех ролей, которые я видел на примере юристов, участвовавших в процессе по делу Ханны. Роль обвинителя казалась мне не менее карикатурным упрощенчеством, чем роль защитника, а уж роль судьи — тем более карикатурной. Не мог я представить себя и чиновником: во время стажировки я работал в одном из земельных ведомств, где все было невыносимо серым, унылым, стерильным — кабинеты, коридоры, их атмосфера и работающие в них люди.

Оставался не слишком богатый выбор юридических профессий, и не знаю, что бы я делал, если бы знакомый профессор истории права не пригласил меня к себе ассистентом. Гертруда назвала это бегством, желанием уклониться от ответственности за решение тех проблем, которые ставит перед нами жизнь, в чем была совершенно права. Это действительно было бегством, и я испытывал облегчение от того, что оно мне удалось. Я внушал себе и ей, что оно носит временный характер, а я еще достаточно молод и после нескольких лет занятий историей права успею освоить вполне солидную юридическую специальность. Однако решение оказалось окончательным; за первым бегством последовало второе — из университета я попал в исследовательский институт, где поискал и в конце концов нашел себе своего рода нишу, в которой мог удовлетворять интерес к истории права, никому не мешая и ни в ком не нуждаясь.

Когда человек спасается бегством, он не только откуда-то уходит, но и куда-то приходит. Прошлое, в которое я окунулся, будучи историком права, было ничуть не менее полным жизни, нежели настоящее. Ведь дело обстоит совсем не так, как это иногда представляется людям посторонним, которые полагают, что полноту жизни в прошлом можно только наблюдать, в настоящем же можно активно участвовать. История, выстраивая мосты между прошлым и будущим, видит, что происходит на обоих берегах, а потому деятельно причастна к происходящему и тут и там. Я изучал проблемы права в Третьем рейхе, а уж в этой сфере становится особенно ясно, как тесно прошлое и настоящее переплетаются в единой реальности жизни. Бегством является здесь не обращение к прошлому, а наоборот — зацикленность исключительно на настоящем или будущем, остающимися совершенно невосприимчивыми к наследию прошлого, которое во многом сформировало нас и с которым наше сосуществование поневоле продолжается.

Не скрою, что большое удовлетворение вызывало у меня погружение и в те исторические фрагменты прошлого, которые играют в настоящем не столь существенную роль. Впервые я почувствовал это, когда занимался законодательствами или законопроектами эпохи Просвещения. Их движущей силой была вера, что в основе мира лежат добро и порядок, которые могут быть в нем реально установлены. Я прямо-таки наслаждался, следя за тем, как из этой веры рождались отдельные законоположения, призванные устанавливать добро и порядок, как из отдельных законоположений складывались целые своды законов, прекрасные своей стройностью и свидетельствующие собственной красотой о своей безусловной истинности. Я долгое время полагал, что в истории права существует прогресс, то есть, несмотря на все ужасные откаты назад, она развивается в сторону приращения красоты, истины, разумности и гуманности. С тех пор как я убедился в том, что это химера, мне представляется более верным другой образ исторического развития права. Да, оно развивается в определенном направлении, но цель, к которой после многочисленных потрясений, коллизий, заблуждений право приходит, оказывается его же исходной точкой, и оно, достигнув этой цели, вновь должно оттолкнуться от нее.

В ту пору я начал опять перечитывать «Одиссею», которую впервые прочитал в школе и которая запомнилась мне как история возвращения домой. Но это вовсе не история возвращения. Греки, знавшие, что в одну и ту же реку нельзя войти дважды, не могли верить в возвращение. Одиссей возвращается не для того, чтобы остаться, но лишь для того, чтобы отправиться в новое странствие. «Одиссея» — это история странствий, одновременно имеющих цель и бесцельных, успешных и безуспешных. Чем же она отличается от истории права?

5

С «Одиссеи» все и началось. Я принялся за нее после того, как мы разошлись с Гертрудой. Ночами я зачастую спал всего несколько часов, остальное время лежал без сна, но когда включал свет и брал книгу, то глаза у меня тут же слипались, однако стоило отложить книгу и выключить свет, как сон вновь улетучивался. Тогда я стал читать вслух. Глаза больше не слипались. А поскольку в мучительной ночной путанице воспоминаний, полугрез, полусонных размышлений о нашем браке, о дочери я постоянно возвращался мыслями к Ханне, то я и начал читать для Ханны. Читал на магнитофонные кассеты.

Прошло несколько месяцев, прежде чем я решился отослать ей эти кассеты. Поначалу мне не хотелось посылать отдельные части, я ждал, пока дочитаю «Одиссею» до конца. Потом я засомневался, покажется ли Ханне «Одиссея» достаточно интересной, поэтому я начитал ей еще несколько рассказов Шницлера и Чехова. Далее мне понадобилось какое-то время, чтобы собраться с духом дозвониться до суда, где выносился приговор, и узнать адрес тюрьмы, где Ханна отбывала наказание. Наконец в наличии оказалось все, что было необходимо, — адрес тюрьмы, в которой находилась Ханна (это было неподалеку от города, где шел судебный процесс и был вынесен приговор), магнитофон и кассеты с пронумерованными записями от Чехова и Шницлера до Гомера. А потом наступил день, когда я все-таки отправил магнитофон с кассетами.

Недавно я наткнулся на тетрадь, куда записывал все, что начитал для Ханны за несколько лет. Первая дюжина названий была, судя по всему, записана сразу; поначалу я, видимо, начитывал все подряд и без разбору, но потом сообразил, что без записей буду забывать, какие вещи уже читал, а какие нет. Под следующими названиями иногда указывается дата, чаще дата отсутствует, но я и так могу сказать, что первую посылку отправил Ханне на восьмом, а последнюю — на восемнадцатом году ее тюремного заключения. В том году ее прошение о помиловании было удовлетворено.

Я начитывал Ханне преимущественно книги, которые как раз читал сам. С «Одиссеей» у меня не сразу получалось совмещать чтение вслух и собственное восприятие, какое бывает, когда я читаю как обычно, про себя. Потом все наладилось. Единственным недостатком чтения вслух было то, что оно занимало больше времени. Зато прочитанное лучше запоминалось. Я до сих пор многое помню очень отчетливо.

Но читал я вслух и уже известные мне, особенно любимые вещи. Таким образом Ханне довелось услышать многие произведения Келлера и Фонтане, Гейне и Мерике. Я довольно долго не осмеливался читать стихи, зато потом делал это с огромным удовольствием и даже выучил немало стихов наизусть. Я помню их наизусть до сих пор.

В целом названия, встречающиеся в моей тетрадке, представляют собою, так сказать, базисный репертуар интеллигентского чтения. По-моему, я даже не задавался вопросом, стоит ли мне выходить за рамки прозы Кафки, Фриша, Йонсона, Бахман и Зигфрида Ленца, чтобы обратиться к экспериментальной литературе, то есть такой, где нет сюжета и персонажи мне, признаться, несимпатичны. По моему разумению, экспериментальная литература экспериментирует прежде всего над читателем, а это было не интересно ни мне, ни Ханне.

Когда я начал писать сам, то стал читать Ханне вслух и собственные сочинения. Продиктовав рукопись, я перерабатывал отпечатанный на машинке текст и, когда у меня появлялось чувство, что он дозрел, читал его Ханне. При чтении я проверял на слух, насколько текст удался. Если нет, я мог переработать его еще раз и поверх старой записи начитать новую. Только я не любил этого делать. Мне хотелось ограничиться первым чтением. В него я вкладывал для Ханны все свои творческие способности, всю свою критическую фантазию. А уж потом я мог отправлять рукопись и в издательство.

Я не делал на магнитофонных кассетах никаких замечаний личного характера, ни о чем не спрашивал Ханну, ничего не сообщал о себе. Я прочитывал название, фамилию автора и сам текст. Когда текст заканчивался, я делал паузу, закрывал книгу и выключал магнитофон.

6

На четвертый год нашего столь многословного и одновременно столь молчаливого контакта пришла весточка. «Дорогой малыш, последний рассказ мне очень понравился. Спасибо. Ханна».

Бумага была линованной, листок вырван из тетради, рваный край ровненько обрезан. Весточка была написана в самом верху и занимала три строки. Шариковая ручка с синей пачкающейся пастой. Ханна прилагала слишком много усилий, ручка продавила бумагу так, что текст четко проступал на обороте. Адрес на конверте был тоже написан с таким же сильным нажимом, отчего продавленный рельеф можно было прочитать на каждой части сложенного втрое листа.

При первом взгляде можно было подумать, что письмо написано детской рукой. Только в почерке ребенка заметна неловкость, неуклюжесть, здесь же было видно, что рукой водили с силой. Я прямо-таки чувствовал, какого напряжения стоило Ханне выстраивать буквы по линейке и складывать из букв слова. Детская рука гуляет по бумаге, ее приходится сдерживать. Рука Ханны никуда не отклонялась, но ее надо было заставлять продвигаться вперед. Рисунок буквы, восходящая и нисходящая линии, черта, закругление каждый раз давались вновь с большим трудом. За каждую букву приходилось бороться, и у всех получался разный наклон, они то и дело выходили разными по высоте и по ширине.

Прочитав эту весточку, я почувствовал необычайный прилив радости. «Научилась! Научилась писать!» За эти годы я прочитал о неграмотности все, что сумел найти. Я знал, какие трудности испытывает неграмотный человек в повседневной жизни, ему тяжело найти по адресу нужную улицу; невозможно разобраться с ресторанным меню, знал о постоянном чувстве неуверенности, преследующем неграмотного и заставляющем его во всем придерживаться опробованных и привычных действий; знал, сколько энергии приходится тратить впустую, расходуя ее только на то, чтобы скрыть неумение читать и писать. Неграмотность сродни невменяемости, неполноценности, неразумности. Набравшись мужества, чтобы научиться читать и писать, Ханна сделала шаг к тому, чтобы стать полноценной, ответственной личностью.

Разглядывая ее почерк, я видел, каких сил и какой внутренней борьбы стоило ей написать мне это письмецо. Я был горд за нее. Одновременно мне было грустно, грустно потому, что многое в ее жизни слишком запоздало или было упущено, мне было грустно вообще из-за того, что жизнь полна опозданий и упущений. Мне подумалось, что если время упущено или тебе в чем-то очень долго было отказано, то потом это наступает уже слишком поздно, даже если отвоевано большими усилиями и принесло большую радость. А может, «слишком поздно» вообще не бывает, а бывает только просто «поздно» и, может быть, впрямь «лучше поздно, чем никогда»? Не знаю.

После первой весточки пошли следующие. Они приходили регулярно. Это всегда было несколько строк, благодарность и пожелание услышать еще что-нибудь того же автора или, наоборот, нежелание его больше слышать; бывали и разные замечания о писателях, об услышанном стихотворении или рассказе либо каком-нибудь персонаже из романа, порой она сообщала кое-что о тюремной жизни. «В нашем дворике зацвели розы», или «мне нравится, что этим летом так много гроз», или «из моего окна видно, как птичьи стаи собираются на юг», — часто именно благодаря этим записочкам Ханны я замечал зацветающие розы, летние грозы, птичьи стаи. Ее замечания о литературе нередко оказывались на удивление меткими. «Шницлер лается, а Стефан Цвейг — и вовсе дохлая собака», или «Готфриду Келлеру нужна женщина», или «стихи Гёте похожи на маленькие картины в красивых рамках», или «Зигфрид Ленц наверняка сразу печатает свои рассказы на пишущей машинке». Поскольку ни о ком из писателей она ничего не знала, то всех их считала современниками, за исключением, конечно, совсем уж явных случаев. Я был поражен, сколько классической литературы может быть прочитано так, будто все было написано сегодня, а тому, кто не знает истории, события прежних времен и вовсе могут показаться событиями нынешними, только происходящими где-то в иных странах.

Сам я никогда не писал Ханне. Зато продолжал ей читать. Даже уехав на год в Америку, я и оттуда посылал ей кассеты. Когда у меня бывал отпуск или наваливалось слишком много работы, то до отсылки очередной кассеты проходило больше времени; я вообще не соблюдал определенного ритма: иногда кассеты отправлялись еженедельно, порой два раза в месяц, но бывало и так, что Ханне приходилось ждать очередной кассеты недели три-четыре. То, что Ханна умела теперь читать сама и в моих кассетах не нуждалась, меня ничуть не смущало. Она могла брать книги в дополнение к кассетам. Чтение вслух стало моим способом обращения к ней, общения с нею.

Все ее весточки я сохранил. Почерк менялся. Поначалу она очень старалась, чтобы буквы выходили ровными, с одинаковым наклоном. Справившись с этим, она почувствовала себя свободней и уверенней. Однако легкости в почерке так и не появилось. Зато он обрел некую красоту строгости, присущую почерку стариков, которым не много доводилось писать за долгую жизнь.

7

Мне как-то не приходило в голову, что рано или поздно Ханну могут выпустить из тюрьмы. Обмен весточками и кассетами сделался для меня настолько привычным, а Ханна была настолько необременительно близкой и в то же время достаточно далекой, что такое состояние могло бы еще тянуться очень долго. Это было для меня, конечно, удобно и, признаю, с моей стороны весьма эгоистично.

Но однажды мне пришло письмо от начальницы тюрьмы.

«На протяжении целого ряда лет Вы состоите в переписке с госпожой Шмиц. Это единственный контакт госпожи Шмиц с внешним миром, поэтому я и решила обратиться к Вам, хотя мне не известно, являетесь ли Вы ее родственником и насколько близки Ваши отношения.

В следующем году госпожа Шмиц вновь подаст прошение о помиловании, и я рассчитываю на то, что прошение будет удовлетворено. Она сможет выйти на свободу — после восемнадцати лет тюремного заключения. Разумеется, мы поможем ей с жильем и работой, во всяком случае, попытаемся помочь. Что касается работы, то здесь возможны трудности, связан-

ные с возрастом, хотя она вполне здорова и проявляет недюжинные способности в нашей швейной мастерской. И все же было бы лучше, если бы о ней после освобождения позаботились не мы, а кто-либо из родственников или друзей, кто смог бы поддержать ее, побыть рядом. Вы не представляете себе, до чего одинок и беспомощен человек, оказавшийся после восемнадцати лет заключения за воротами тюрьмы.

Госпожа Шмиц вполне может обеспечить себя и не нуждается в постороннем уходе. Было бы достаточно, если бы Вы сумели подыскать ей небольшую квартиру и работу, если бы в первые недели и месяцы Вы могли навещать ее или приглашать к себе, если бы Вы ввели ее в церковную общину, познакомили с программой специальных курсов при народном университете, с консультацией для одиноких людей и т. д. Кроме того, после восемнадцати лет заключения нелегко даже пройтись по магазинам за покупками, не говоря уж о необходимых обращениях в различные учреждения или о том, чтобы просто посидеть в ресторанчике. Все это легче сделать в сопровождении знакомого человека.

Я обратила внимание, что Вы не навещаете госпожу Шмиц. В противном случае я предпочла бы не писать Вам, а попросила бы о личной беседе при очередном посещении. У Вас еще есть возможность навестить госпожу Шмиц до ее освобождения. Пожалуйста, зайдите тогда ко мне».

Письмо заканчивалось сердечным приветом, который не столько адресовался мне, сколько свидетельствовал о том, что начальница тюрьмы принимает это дело близко к сердцу. Мне уже доводилось слышать о ней; ее тюрьма считалась необычной, а ее выступления по вопросам реформы пенитенциарной системы пользовались вниманием. Письмо мне понравилось.

Зато не понравилось то, что теперь у меня появились новые обязательства. Конечно, мне пришлось взяться за поиски квартиры и работы, что я и сделал. Нашлись друзья, у которых в собственном доме пустовала маленькая квартира, — они не пользовались ею сами, не сдавали ее и согласились уступить Ханне за минимальную плату. Грек-портной, который время от времени подгонял мои костюмы, выразил готовность предоставить Ханне работу, поскольку сестра, работавшая раньше в его ателье, вернулась в Грецию. Задолго до выхода Ханны из тюрьмы я позаботился обо всех государственных, церковных и социальных учреждениях, которые могли ей понадобиться. Однако визит к Ханне я по-прежнему откладывал.

Мне не хотелось нарушать той необременительной близости и одновременно удаленности, которая существовала между нами. Мне казалось, что такой, какая она есть, Ханна может оставаться только при определенном удалении от меня. Я боялся, что маленький, невесомый, уютный мирок наших весточек и кассет слишком хрупок и искусствен, чтобы выдержать реальную близость. Вряд ли мы сможем встретиться лицом к лицу без того, чтобы сразу же не вспомнить всего, что было между нами.

Год миновал, Ханну я так и не навестил. Начальница тюрьмы больше не давала о себе знать; письмо, в котором я сообщал о результатах хлопот насчет квартиры и работы, осталось без ответа. Видимо, она рассчитывала на то, что ей все же удастся переговорить со мной во время моего визита к Ханне. Откуда ей было знать, что я не просто откладывал его, а пытался от него увильнуть. В конце концов решение о помиловании и освобождении Ханны было принято, и начальница тюрьмы позвонила мне. Могу ли я теперь зайти поговорить? Через неделю Ханна выходит.

8

Я пошел туда в ближайшее воскресенье. Это было моим первым посещением тюрьмы. У входа меня досмотрели, по пути передо мной открывали и за мной закрывали множество дверей. Здание оказалось довольно новым и светлым, двери во внутренних отделениях были открыты, и женщины передвигались вполне свободно. В конце коридора одна из дверей вела наружу, на зеленую лужайку с деревьями и скамейками. Я вопросительно обвел лужайку глазами. Надзирательница, сопровождавшая меня, показала на скамью под тенистым каштаном.

Ханна? Эта женщина на скамейке была Ханной? Седые волосы, на лбу глубокие вертикальные морщины, морщины на щеках, возле губ, отяжелевшее тело. На ней было голубое платье, явно тесное в груди, на животе и на бедрах. В руках она держала книгу. Но не читала ее. Из-под половинчатых очков для чтения Ханна смотрела на женщину, которая кормила хлебом воробьев, бросая им крошку за крошкой. Тут она почувствовала на себе чей-то взгляд и повернулась ко мне.

Я увидел в ее лице ожидание, увидел, как она озарилась радостью, узнав меня; подойдя поближе, я заметил, что ее глаза словно ощупывают мое лицо, во взгляде застыли вопрос, неуверенность и обида, но вдруг ее лицо погасло. Когда я подошел совсем близко, она улыбнулась; улыбка была приветливой, но усталой. «Как же ты повзрослел, малыш». Я подсел к ней, она взяла мою руку.

Раньше я особенно любил ее запах. Она всегда пахла свежестью — это был запах чистого, только что из ванны, тела, запах свежего белья, запах свежего пота, запах любви. Иногда она пользовалась духами, не знаю какими, но это был самый свежий из всех запахов. Под этим запахом свежести таился другой, он был тяжелее, темнее, терпче. Я часто принюхивался к ней, будто любопытный звереныш, начинал с шеи и плеч, которые пахли свежестью, затем вдыхал аромат свежего пота между грудей, который смешивался с другим запахом, шедшим из-под мышек; на животе я находил уже только тот запах, тяжелый и темный, а между ног к нему добавлялась еще какая-то сладкая нотка, которая меня очень возбуждала; я обнюхивал ее ноги, бедра, где тяжелый запах терялся, подколенные впадинки, где опять легко пахло свежим потом, и ступни, которые пахли мылом, или кожей, или усталостью. У рук и спины не было своего запаха, они пахли ничем, и все же это был ее запах; ладони же сохраняли запах прошедшего дня и работы — они пахли типографской краской трамвайных билетов, металлом компостера, луком, рыбой или жареным мясом, стиркой или утюгом. Когда она мыла руки, то эти запахи сначала исчезали. Но мыло как бы лишь забивало их, через некоторое время они восстанавливались, правда, становились слабее и сливались в один-единственный запах прошедшего трудового дня, наступившего вечера, возвращения домой и домашнего уюта.

Я сидел рядом с Ханной и слышал, что она пахнет старой женщиной. Не знаю, в чем тут дело, но мне знаком этот запах по бабушкам и старым тетушкам, которых я навещал в домах для престарелых, где запах этот витает надо всем, словно проклятие. Ханна была еще слишком молода для него.

Я придвинулся ближе. Я заметил промелькнувшее в ее лице разочарование и хотел как-то поправить дело.

— Очень рад, что ты скоро выйдешь отсюда.

— Да?

— Да, и еще я рад, что ты будешь жить рядом со мной.

Я рассказал, что нашел ей квартиру и работу, какие социальные и культурные учреждения находятся поблизости и как добираться до городской библиотеки.

— Ты много читаешь?

— Не так уж. Больше люблю, когда ты мне читаешь. — Она взглянула на меня. — Теперь ведь это кончится?

— Ну почему же? — Честно говоря, я не представлял себе, что буду продолжать наговаривать ей кассеты или встречаться с ней и читать вслух. — Я ужасно обрадовался тому, что ты научилась читать, я просто восхищаюсь тобой. А какие замечательные письма ты мне присылала!

Это была правда, я действительно восхищался ею и радовался тому, что она научилась читать и посылает мне письма. Но я чувствовал, насколько несоразмерны моя радость и мое восхищение усилиям Ханны, которые понадобились ей, чтобы научиться читать и писать, и насколько тщетными они оказались, если ей так и не удалось дождаться от меня ответа, а тем более встречи и разговора. Я отвел Ханне некую нишу, это было нечто такое, что было для меня важно и ради чего я старался, однако места в моей жизни для Ханны не нашлось.

Впрочем, почему я должен был предоставлять ей существенное место в моей жизни? Я возмутился собственным же угрызениям совести, которые зашевелились при мысли, что отвел Ханне лишь некую нишу.

— Ты никогда не думала до суда о том, что потом выявилось на нем? Ты не думала об этом, когда мы бывали вдвоем, когда я читал тебе?

— Тебя это мучит? — Она не стала ждать ответа. — Видишь ли, мне всегда казалось, что меня все равно никто не поймет, никто не сумеет понять, почему я стала такой и что сделало меня такой. А если тебя никто не понимает, то никто не может и требовать от тебя ответа. Суд тоже не мог требовать от меня ответа. Мертвые могут. Они понимают. Им даже не нужно было присутствовать там, но если бы они пришли, они бы все поняли. Здесь, в тюрьме, они часто приходили ко мне. Каждую ночь, хотела я того или нет. До суда я еще умела их прогонять, когда они приходили.

Она подождала, не скажу ли я что-нибудь, но я не знал, что сказать. Я хотел было сказать, что у меня никого прогнать не получается. Но это было неправдой. Ведь ее я в сущности прогнал — именно тем, что отвел ей маленькую нишу.

— Ты женат?

— Раньше был женат. Мы с Гертрудой разошлись несколько лет назад, наша дочка живет в интернате. Надеюсь, она там долго не останется, переедет ко мне. — Теперь я подождал, не скажет ли она что-нибудь. Но она молчала. — Я заберу тебя на следующей неделе, хорошо?

— Хорошо.

— Потихоньку, или как-нибудь отпразднуем?

— Совсем потихоньку.

— Ладно, пусть будет совсем потихоньку. Обойдемся без музыки и шампанского.

Я встал, она тоже встала. Мы посмотрели друг на друга. Дважды прозвенел звонок, остальные женщины потянулись в помещение. Она вновь ощупала глазами мое лицо. Я взял ее за руки, но толком даже не почувствовал их.

— До свидания, малыш.

— До свидания.

Мы простились здесь, еще до того, как нам пришлось разойтись внутри здания.

9

Всю следующую неделю я был очень занят. Не помню, в чем было дело, — то ли я спешил закончить к сроку очередной доклад, то ли хотелось написать его получше.

Мысли и предварительные материалы, которые должны были лечь в основу доклада, на поверку оказались никуда не годными. Начав перепроверять их, я наталкивался на одну случайность за другой там, где раньше мне виделась определенная закономерность, которую и надлежало осмыслить. Я не мог смириться с ошибкой, принялся искать новые факты, лихорадочно, упрямо и с каким-то непонятным страхом, будто ошибка кроется не в моих гипотезах, а в самой действительности, ради которой я готов был подтасовывать факты, преувеличивая значимость одних и закрывая глаза на другие. Меня охватило странное беспокойство, я едва ли не лишился сна, так как, хотя и засыпал, особенно если ложился очень поздно, однако вскоре снова просыпался, долго ворочался в постели, пока снова не вставал, чтобы читать или писать дальше.

Все, что нужно было сделать к выходу Ханны из тюрьмы, я сделал. Обставил ее квартиру мебелью по каталогу фирмы «Икея», добавив несколько старых вещей, предупредил грека-портного, навел новые справки о службах социального обеспечения и учреждениях культурно-образовательного характера. Кроме того, я накупил продуктов, расставил по полкам книги, развесил картины. Пригласил садовника, чтобы он привел в порядок палисадничек перед домом. Все это я делал в какой-то суете и спешке, которая едва ли не окончательно лишила меня сил.

Зато это отвлекало от мыслей о состоявшемся визите к Ханне. Лишь изредка, когда я сидел за рулем, маялся за письменным столом, лежал без сна в постели или заходил в приготовленную квартиру, мысли о Ханне, воспоминания о ней вдруг обрушивались на меня. Я видел ее сидящей на скамейке, видел устремленный на меня взгляд, видел ее в купальне с обращенным ко мне лицом; меня вновь стало томить чувство вины, опять стало казаться, что я предал ее. И я вновь восстал против этих угрызений совести, я обвинял ее саму, возмущался тем, как просто она ушла от своей ответственности. Дескать, только мертвые могут требовать от нее ответа, а собственная вина вполне искупается бессонницей или дурными снами. Только как же все-таки насчет ответа перед живыми? Впрочем, я не имел в виду всех живых, я имел в виду себя. Было ли у меня право требовать от нее ответа? В чем вообще состояла моя роль?

За день до выхода Ханны, уже под вечер, я позвонил в тюрьму. Сначала переговорил с начальницей. Она сказала:

— Видите ли, я немного волнуюсь за нее. Обычно после такого длительного заключения выпускают не сразу, а предоставляют возможность постепенно освоиться, давая увольнительные сначала на несколько часов, потом на несколько дней. Но госпожа Шмиц отказывалась от этой возможности. Ей будет завтра нелегко.

Потом меня соединили с Ханной.

— Подумай, чем мы завтра займемся. Можно сразу поехать к тебе домой, а можно сначала прогуляться в лесу или по берегу реки.

— Хорошо, подумаю. Только ты ведь сам замечательно придумываешь всякие планы, верно?

Я слегка разозлился. Разозлился, потому что женщины часто упрекали меня за то, что я слишком мало импровизирую, все делаю головой, а не сердцем.

Почувствовав по молчанию мое раздражение, она рассмеялась:

— Не сердись, малыш, я не хотела тебя обидеть.

Ханна, сидевшая на скамейке, была старой женщиной. Она выглядела, как старая женщина, и пахла, как старая женщина. Но я не обратил внимания на ее голос. Ее голос остался совсем молодым.

10

На следующее утро Ханны не стало. На рассвете она повесилась.

Когда я пришел в тюрьму, меня сразу же отвели к начальнице. Я впервые увидел ее — маленькую, худенькую женщину с темно-русыми волосами, в очках. Она выглядела довольно невзрачной, пока не заговорила, — в голосе слышались теплота и одновременно сила, взгляд был строг, движения рук — энергичны. Она спросила меня о вчерашнем телефонном разговоре с Ханной и о моем визите, состоявшемся неделю назад. Не вызвало ли что-нибудь у меня подозрений или опасений? Я сказал, что нет. Действительно, не было даже ничего такого, что я постарался бы вытеснить из сознания, забыть.

— Откуда вы ее знали?

— Мы жили по соседству. — Она вопросительно взглянула на меня, и я понял, что должен рассказать ей о себе несколько больше. — Мы жили по соседству, познакомились и подружились. Будучи студентом, я присутствовал на ее судебном процессе.

— Почему вы посылали ей кассеты?

Я промолчал.

— Вы знали, что госпожа Шмиц была неграмотной, не так ли? Откуда это было вам известно?

Я пожал плечами. Мне казалось, что наша с Ханной история ее не касается. В горле у меня стояли слезы, и я боялся, что не смогу говорить. Не хватало только разрыдаться в ее присутствии.

Видимо, она почувствовала мое состояние.

— Пойдемте, я покажу вам камеру госпожи Шмиц.

Она пошла впереди, но часто оборачивалась, давая пояснения. Вот здесь пытались совершить налет террористы, здесь была швейная мастерская, где работала Ханна, вот тут она провела однажды сидячую забастовку, пока не добилась отмены запланированного сокращения бюджетных средств на библиотеку, а вон там и сама библиотека. Перед камерой она остановилась.

— Вещи госпожа Шмиц не собирала. В камере все осталось так, как при ее жизни.

Кровать, шкафчик, стол и стул, над столом прикрепленная к стене полка, в углу умывальник и унитаз. Вместо окна стеклянные кирпичи. Стол пустой. На полке книги, матерчатый медвежонок, две чашки, растворимый кофе, баночки с чаем, кассетный магнитофон и в двух ящичках мои кассеты.

— Тут не все кассеты. — Начальница перехватила мой взгляд. — Часть из них госпожа Шмиц передавала во временное пользование службе помощи слепым заключенным.

Я подошел к полке. Леви, Визель, Боровский, Амери — книги жертв нацизма, а рядом автобиографические записки Рудольфа Хёсса, отчет Ханны Арендт о процессе над Эйхманом в Иерусалиме, документальная литература о концлагерях.

— Ханна все это читала?

— Во всяком случае заказывала книги она вполне обдуманно. Уже довольно давно мне пришлось достать ей полную библиографию публикаций о концлагерях, а года два тому назад она захотела получить книги о женщинах в концлагерях, о заключенных и надзирательницах. Я послала запрос в Институт новейшей истории, мне подготовили там соответствующий список литературы. С тех пор как госпожа Шмиц научилась читать, она читала книги о концлагерях.

Над кроватью висели картинки и записочки. Встав на колено, я принялся их читать. Это были цитаты, стихи, газетные вырезки, а также рецепты разных блюд и фотографии, которые Ханна находила в газетах и журналах. «Ленту синюю весны развевает ветер», «Тень облаков скользит по полю» — все стихи были посвящены природе, а картинки и фотографии запечатлели светлую весеннюю рощицу, расцветший луг, палую осеннюю листву, одинокие деревья, иву над ручьем, вишню со спелыми красными ягодами, рыжий и оранжевый пламень осеннего каштана. На газетной фотографии юноша и пожилой мужчина в темных костюмах обменивались рукопожатием; в юноше, который слегка кланялся пожилому человеку, я узнал себя. На празднике по случаю вручения аттестата зрелости я получил от директора гимназии еще и особую награду. Это было задолго до того, как Ханна уехала из нашего города. Не могла же она тогда выписывать нашу городскую газету, она же не умела читать! Так или иначе, она каким-то образом узнала об этой фотографии и достала ее. Значит, моя фотография была у нее и во время судебного процесса? Я опять почувствовал в горле комок.

— Она научилась читать благодаря вам. Она брала из библиотеки книги, которые вы наговаривали на кассеты, и следила по тексту — фраза за фразой, слово за словом. Ей так часто приходилось останавливать магнитофон, включать и выключать его, перематывать пленку вперед и назад, что техника не выдерживала; она то и дело отдавала магнитофон в ремонт, а поскольку для этого каждый раз требовалось специальное разрешение, я вскоре догадалась, в чем дело. Сперва госпожа Шмиц ничего не хотела рассказывать, но когда она начала учиться писать, ей понадобились прописи — она попросила меня достать их и уж больше ничего не скрывала. А кроме того, она гордилась своими успехами, и ей хотелось с кем-то поделиться.

Пока она рассказывала все это, я вновь встал на колено, рассматривая картинки, записки, вырезки и борясь со слезами. Когда я повернулся и сел на кровать, она сказала:

— Она так ждала, что вы ей напишете. Ведь передачи она получала только от вас. Когда приходила почта, она всегда спрашивала: для меня что-нибудь есть? Она имела в виду письмо, а не посылку с кассетами. Почему вы ей ни разу не написали?

Я опять промолчал. Да я и не сумел бы ничего сказать, только промычал бы что-то невразумительное и расплакался.

Подойдя к полке, она взяла банку из-под чая, потом сунула руку в карман костюма, достала оттуда сложенный лист бумаги.

— Госпожа Шмиц оставила мне письмо, что-то вроде завещания. Я прочту лишь то, что касается вас. — Развернув листок, она прочитала: — «В лиловой банке для чая лежат деньги. Отдайте Михаэлю Бергу. Вместе с семью тысячами марок, которые есть на моем счете в сберкассе, их нужно переслать той женщине, что спаслась с матерью от пожара в церкви. Пусть она решит, что с ними делать. И передайте ему от меня привет».

Мне она никакой весточки не оставила. Решила меня обидеть? Или наказать? А может, ее охватила

190

такая душевная усталость, что силы у нее нашлись сделать и написать лишь самое необходимое?

— Какой она была все эти годы? — Я подождал, пока смог говорить дальше. — И какой была в последние дни?

— Долгие годы она жила здесь будто в монастыре. Будто сама выбрала затворничество и добровольно подчиняется всем здешним порядкам, а довольно однообразную работу считает чем-то вроде медитации. К другим женщинам она относилась дружелюбно, но держалась особняком, пользуясь у них уважением. Я бы даже сказала — авторитетом: у нее просили совета, когда возникали проблемы, к ней же обращались при спорах и слушались ее решений. Но несколько лет назад она сдалась. Раньше она следила за собой; она была плотно сложена, но не поправлялась, отличалась предельной чистоплотностью. А тут начала есть без разбора, реже мылась, потолстела, от нее стало пахнуть. Однако при этом она не производила впечатление человека недовольного, несчастного. Скорее казалось, что ей теперь и монастыря было мало, словно в этом монастыре все еще слишком суетно, слишком много разговоров, а потому нужно стремиться к более суровому затворничеству, к большему одиночеству, когда вообще никого не видишь, а следовательно, не важно, во что одеваешься, как выглядишь и как пахнешь. Нет, она не сдалась, надо, пожалуй, сказать иначе. Она заново переосмыслила для себя то место, в котором находилась, чтобы оно больше соответствовало ее представлениям, но другим женщинам это уже не импонировало.

— А в последние дни?

— Она была такой же, как всегда.

— Я могу ее увидеть?

Она кивнула, но осталась сидеть.

— Неужели мир за долгие годы одиночества может сделаться настолько невыносимым? Неужели лучше лишить себя жизни, чем выйти из монастыря, из затворничества и вернуться в этот мир? — Она повернулась ко мне. — Госпожа Шмиц не написала, почему покончила с собой, а вы не рассказываете, что было между вами и что, возможно, послужило причиной ее самоубийства ночью, в самый канун того дня, когда вы хотели забрать ее отсюда. — Она сложила листок, сунула его в карман, встала, одернула юбку. — Знаете, меня ее смерть потрясла, и сейчас я сержусь — на госпожу Шмиц, на вас. Впрочем, пора идти.

Она опять пошла впереди, на этот раз молча.

Ханна лежала в тюремной больничке, в маленьком отсеке. Нам едва хватило места, чтобы протиснуться между стеной и носилками. Начальница откинула простыню.

Голова Ханны была обвязана полотенцем, чтобы поддержать подбородок до наступления полного окоченения. Лицо не выглядело умиротворенным, но не было в нем и страданий. Оно было просто застывшим и мертвым. Я долго всматривался в него, и мне почудилось, что сквозь мертвенность проступают живые черты, сквозь старое лицо мерцает молодое. Наверное, так бывает со старыми супругами, подумалось мне: жена продолжает видеть старого мужа таким, каким он был в молодости, и для него она продолжает сохранять прежнюю молодость и привлекательность. Почему я не сумел заметить этого мерцания неделю назад?

Я так и не заплакал. Когда через некоторое время начальница вопросительно взглянула на меня, я кивнул, и она вновь закрыла лицо Ханны простыней.

11

Выполнить поручение Ханны мне удалось лишь осенью. Та женщина жила в Нью-Йорке, и я воспользовался конференцией, проходившей в Бостоне, чтобы привезти ей деньги: чек на сумму со счета в сберкассе и купюры, лежавшие в банке из-под чая. Я предварительно списался с ней, представился историком, упомянул судебный процесс. Дескать, я был бы благодарен за возможность лично встретиться и побеседовать. Она пригласила меня на чай.

Я поехал в Нью-Йорк из Бостона на поезде. Леса пестрели коричневой, желтой, оранжевой, ржаво-красной и красно-ржавой листвой, особенно ярко пламенели клены. Мне вспомнились осенние картинки, которые я видел в камере Ханны. Убаюканный перестуком колес и покачиванием вагона, я заснул, и мне приснилось, что мы с Ханной живем в доме, стоящем среди по-осеннему разноцветных холмов, по которым мчится поезд. Ханна выглядела старше, чем в то время, когда мы познакомились, но моложе, чем тогда, когда мы с ней увиделись снова, старше, чем я, красивее, чем прежде; двигалась она еще свободнее, будто этот возраст особенно сроднил ее с собственным телом. Она снилась мне вылезающей из машины и при-

193

жимающей к груди пакеты с покупками, я видел, как она проходит через сад к дому, ставит пакеты у лестницы, взбегает передо мною по ступенькам. Я сопротивлялся моей тоске и этому сну, говорил им, что такого не может быть ни со мною, ни с Ханной, ибо это не соответствует нашему возрасту, реальным обстоятельствам нашей жизни. Разве может Ханна жить в Америке, она ведь и английского не знает? Да и машину водить не умеет.

Я проснулся с мыслью о том, что Ханна мертва. И о том, что никогда не избавлюсь от своей тоски, хотя, наверное, она адресована вовсе не Ханне. Это была тоска по дому.

Женщина жила на улочке рядом с Центральным парком. По обе стороны улочки стояли типовые дома из темного песчаника, из того же темного песчаника были выложены лесенки перед каждым подъездом. Все это создавало впечатление некой строгости: дом за домом, почти одинаковые фасады, лесенка за лесенкой, деревья, посаженные — видимо, недавно — на одинаковом расстоянии друг от друга, на их тоненьких ветках осталось совсем немного пожелтевших листьев.

Женщина подала чай перед большим окном с видом на садик, обрамленный домами, он был кое-где еще зеленым, кое-где пестрым, а кое-где проглядывал просто мусор. После того как чай был разлит и ложечки перестали звенеть, размешивая сахар, женщина, поздоровавшаяся со мной по-английски, перешла на немецкий. «Что привело вас ко мне?» Она спросила не то чтобы недружелюбно или не недружелюбно, а как-то подчеркнуто деловым тоном. Все в ней выглядело деловым — осанка, жесты, стиль одежды. Лицо ее до странности казалось не имеющим возраста. Так выглядят обычно лица после искусственного омоложения. А может, оно просто застыло от ужасов пережитого; во всяком случае, я тщетно пытался отыскать в нем черты, знакомые мне по судебному процессу.

Я рассказал о смерти Ханны и о ее поручении.

— Почему она выбрала именно меня?

— Вероятно, потому, что вам единственной удалось выжить.

— И что прикажете с этим делать?

— То, что сочтете целесообразным.

— Чтобы дать госпоже Шмиц отпущение грехов?

Сначала я хотел возразить, но Ханна действительно требовала многого. Годы тюремного заключения должны были стать не просто искуплением, Ханна хотела придать им определенный смысл и хотела, чтобы ее поняли. Об этом я и сказал.

Женщина покачала головой. Не знаю, выражала ли она этим неприятие моего толкования или нежелание понять Ханну.

— Разве нельзя понять, не давая отпущения грехов?

Женщина усмехнулась.

— Вас бы это устроило, не так ли? А каковы были ли, собственно, ваши отношения?

Я помедлил.

— Я читал ей вслух. Это началось, когда мне было пятнадцать, и продолжалось, пока она сидела в тюрьме.

— Как же вам удавалось...

— Я посылал ей магнитофонные кассеты. Госпожа Шмиц была почти всю жизнь неграмотной; читать и писать она научилась только в тюрьме.

— И почему же вы это делали?

— У нас была связь, еще тогда, когда мне было пятнадцать.

— Вы... вы спали с ней?

— Да.

— Какой же она была жестокой. И вы простили ее, хотя она вас... когда вам было всего пятнадцать лет... Нет, погодите, вы же сказали, что снова стали читать ей, когда она уже была в тюрьме. Вы когда-нибудь были женаты?

Я кивнул.

— Но брак был неудачным, коротким, больше вы жениться не решались, а ребенок, если таковой имеется, живет в интернате.

— Таких случаев тысячи, для этого не надо никакой госпожи Шмиц.

— За последние годы, когда вы возобновили с нею контакт, у вас не возникало чувства, что она сознает, что сделала с вами?

Я пожал плечами.

— Во всяком случае, она сознавала, какие страдания причинила людям в лагере и во время эвакуации. Она не просто сказала мне об этом, но и многое осмыслила в тюрьме за последние годы. — Я пересказал все, что услышал от начальницы тюрьмы.

Женщина встала и принялась большими шагами расхаживать по комнате.

— О какой сумме идет речь?

Я вышел в прихожую, где оставил сумку, и вернулся с чеком и банкой из-под чая.

Взглянув на чек, она положила его на стол. Потом открыла банку, вынула деньги, опять закрыла и, держа банку перед собою, пристально уставилась на нее.

— Когда я была маленькой, то хранила свои сокровища в банке из-под чая. У нас уже продавался чай в банках, но моя была не такой, на ней были русские буквы, и крышка не вдавливалась, а накладывалась сверху. Я даже в лагерь свою банку пронесла, но там у меня ее украли.

— И что в ней было?

— Ничего особенного. Локон нашего пуделя, билеты в оперу, куда меня водил отец, колечко, которое я то ли где-то нашла, то ли выиграла в какую-то игру. Банку у меня украли не из-за того, что в ней хранилось. Сама банка была в лагере большой ценностью, она для многого могла пригодиться. — Она поставила банку на чек. — У вас уже есть какая-то идея насчет денег? Использовать их на что-либо, связанное с холокостом, кажется мне действительно чем-то вроде отпущения грехов, а я его дать не могу и не хочу.

— Можно пожертвовать их неграмотным, которые хотят научиться читать и писать. Наверняка существуют специальные благотворительные организации и фонды.

— Да, конечно. — Она задумалась. — А еврейские фонды такие есть?

— Если они вообще существуют, то уж будьте уверены, что еврейские тоже есть. Хотя вряд ли для евреев проблема неграмотности стоит особенно остро.

Она пододвинула ко мне деньги и чек.

— Поступим так. Вы разузнаете насчет соответствующих еврейских организаций, здесь или в Германии, и переведете деньги той из них, которая покажется вам наиболее солидной. — Она усмехнулась. — И если вам кажется это важным, можете перевести деньги от имени Ханны Шмиц.

Она опять взяла банку в руки.

— А банку я оставлю себе.

12

С тех пор прошло десять лет. В первые годы после смерти Ханны меня продолжали мучить старые вопросы: отверг и предал ли я Ханну, остался ли я виноватым перед ней, не был ли я виноват перед ней уже тем, что любил ее, имел ли я право уйти от нее, а если да, то как надо было это сделать, или, может быть, я должен был уйти от нее. Порой спрашивал себя, не виновен ли я в ее смерти. Иногда злился на нее за то, что она сделала со мной. Но злость проходила, а вопросы казались со временем все менее важными. Что бы я ни сделал или ни упустил, что бы она ни сделала со мной — все это давно уже стало неотъемлемой частью моей жизни.

Решение написать нашу историю я принял уже вскоре после смерти Ханны. С тех пор она несколько раз писалась и переписывалась у меня в голове, всегда немного иначе, с новыми картинками, эпизодами, отрывочными размышлениями. Короче, наряду с данным вариантом существовали и другие. Залог истинности появившегося варианта состоит в том, что именно он оказался записанным, а все остальные записаны не были. Записанный вариант хотел появиться на свет, остальные — нет.

Сначала я хотел написать нашу историю, чтобы освободиться от нее. Но когда я задавался этой целью, воспоминания не шли ко мне. Тогда я почувствовал, что наша история ускользает от меня, и понадеялся, что, записывая, сумею удержать ее, однако и это не стимулировало воспоминаний. Несколько лет назад я решил оставить нашу историю в покое. Я заключил с нею мир. И она вернулась ко мне, подробность за подробностью, настолько по-своему цельная и завершенная, что уже не вызывает у меня грусти. А я-то долгое время думал, что это очень печальная история. Нет, и сейчас я отнюдь не нахожу ее счастливой. Главное, что она правдива, поэтому вопрос о том, является она печальной или счастливой, просто теряет смысл.

Во всяком случае, я так думаю, когда думаю о ней. Если я сейчас обижаюсь на что-то, в памяти тотчас всплывают все тогдашние обиды, если чувствую себя виноватым, сразу же вспоминается тогдашнее чувство вины, а в нынешней печали, нынешней тоске по собственному домашнему очагу мне слышатся пережитые печаль и тоска. Жизнь наша многослойна, ее слои так плотно прилегают друг к другу, что сквозь настоящее всегда просвечивает прошлое, это прошлое не забыто и не завершено, оно продолжает жить и оставаться злободневным. Я все понимаю. Однако иногда это кажется мне почти невыносимым. Возможно, я написал нашу историю все-таки для того, чтобы избавиться от нее, хоть избавиться от нее не могу.

Возвратившись из Нью-Йорка, я сразу же перевел деньги Ханны от ее имени на счет Еврейской лиги борьбы с неграмотностью. Вскоре пришло отпечатанное на компьютере письмо, в котором лига благодарила мисс Ханну Шмиц за ее пожертвование. С этим письмом в кармане я поехал на кладбище. Я навестил могилу Ханны в первый и последний раз.

Автопортрет второго поколения

ПОСЛЕСЛОВИЕ ПЕРЕВОДЧИКА

1

Роман Бернхарда Шлинка «Чтец»[1], опубликованный осенью 1995 года, стал, пожалуй, самой успешной немецкой книгой последних десятилетий, завоевав огромную популярность не только в Германии, но и во многих других странах. Книга переведена более чем на тридцать языков, совокупный тираж исчисляется многими миллионами. Американское издание «Чтеца» возглавило в США списки бестселлеров. Подобной триумфальной популярности не выпадало даже на долю нобелевских лауреатов Гессе, Бёлля и Грасса.

Не менее примечательно то обстоятельство, сколь необычайно быстро «Чтец» вошел в учебную программу немецких гимназий. Более того, именно этому произведению новейшей немецкой литературы, которое теперь уже по праву можно назвать хрестоматийным, зачастую отдается предпочтение абитуриентов при выборе темы для экзаменационных сочинений.

Чем же объясняется такой широкий и устойчивый интерес к роману Бернхарда Шлинка? Ведь поведанная в нем история почти неправдоподобна, а судьба Ханны Шмиц, положенная в основу романа, явно вымышленна. Такого суда, который описан в романе, приговора к пожизненному тюремному заключению, самого отбытого наказания, помилования и самоубийства в реальности никогда не было. Точнее, все было совсем иначе.

---

[1] *Schlink B*. Der Vorleser. Zürich: Diogenes Verlag, 1995.

За всю историю западногерманского правосудия состоялся лишь один-единственный судебный процесс над женщинами, служившими в охране концлагерей. С ноября 1975 года по июнь 1981 года в Дюссельдорфе прошел суд над пятнадцатью эсэсовскими охранниками концлагеря Майданек. Впервые на скамье подсудимых оказались пять женщин-надзирательниц. Подсудимым предъявлялось обвинение в причастности к истреблению 250 тысяч узников концлагеря. В итоге процесса часть подсудимых была оправдана, лишь восемь из пятнадцати обвиняемых были осуждены на различные сроки тюремного заключения (до 12 лет). Только в одном случае приговор предусматривал пожизненное заключение. Речь шла о Хермине Браунштайнер по прозвищу Кобыла, которое она заслужила тем, что любила пинать узниц концлагеря коваными сапогами. Она отсидела в тюрьме пятнадцать лет, после чего была помилована и вышла на свободу. Своей вины Хермина Браунштайнер не признала и ни в чем не раскаялась. Это, повторяем, был единственный случай, когда западногерманский суд приговорил к пожизненному заключению женщину за преступления, связанные с временами национал-социализма.

2

Ощущение достоверности сообщается роману прежде всего искренностью авторской интонации, точностью повествования и тем личным присутствием автора, которое в прозе дают, наверное, только автобиография и мемуары. Правда, в данном случае перед читателем предстает автобиография не столько личная, сколько целого поколения, в которой линии отдельной и реальной судьбы переплетаются с возможными событиями из жизни поколения, которое в Германии иногда именуется «вторым». Оно объединяет сверстников Бернхарда Шлинка, появившихся на свет в последние годы войны или первые послевоенные годы.

Бернхард Шлинк родился 6 июля 1944 года в семье профессора теологии Эдмунда Шлинка, который переехал в Гейдельберг вскоре после войны. До этого семья жила на севере Германии, где Эдмунд Шлинк занимал место пастора, поскольку гестапо запретило ему преподавательскую деятельность за принадлежность к евангелической Конфессиональной церкви, находившейся в оппозиции к нацистскому режиму. В Гейдельбергском университете он создал и возглавил Институт экуменической теологии.

Детство и юность Бернхарда Шлинка прошли в Гейдельберге. Здесь же, окончив классическую гимназию, он поступил в университет на юридический факультет, но позднее перешел в берлинский Свободный университет. Защитив кандидатскую, а затем докторскую диссертации, он становится в 1982 году профессором Боннского университета. Бернхард Шлинк ведет активную научную деятельность, он автор ряда фундаментальных трудов по государственному праву, которые выдержали множество переизданий. В 1988 году его избирают членом Конституционного суда земли Северный Рейн — Вестфалия.

Примерно к этому же времени относятся его первые литературные опыты. Вместе со своим другом, а потом и один он сочиняет трилогию о частном детективе Герхарде Зельбе. Подобный биографический поворот выглядит довольно неординарно, во-первых, из-за обращения солидного профессора, эксперта по государственному праву к «несерьезному» жанру, а во-вторых, из-за необычности главного персонажа. В первом романе под названием «Самосуд»[1], действие которого происходит в 1986 году, Герхарду Зельбу уже под семьдесят. Когда-то он был убежденным нацистом, служил в гейдельбергской прокуратуре,

---

[1] Названия детективных романов Бернхарда Шлинка, составляющих трилогию, содержат игру слов, поскольку фамилия главного героя Герхарда Зельба переводится как «сам»: «Самосуд» (Selbs Justiz, 1987), «Самообман» (Selbs Betrug, 1992) и «Самоубийство» (Selbs Mord, 2001).

ему доводилось отправлять людей в концентрационные лагеря, самому выносить смертные приговоры и даже присутствовать при их исполнении. Однако после войны он не пожелал вернуться в прокуратуру даже тогда, когда к концу сороковых годов бывших нацистских прокуроров и судей начали восстанавливать на своих должностях. Герхарда Зельба возмущало, что прежние коллеги не только ни в чем не раскаивались, но и воспринимали собственное возвращение как нечто должное и даже требовали компенсации за годы вынужденного карьерного «простоя».

Во всех трех книгах частный детектив Зельб сталкивается с событиями, которые так или иначе связаны с непреодоленным прошлым, откуда и тянутся корни к нынешним преступлениям. И во всех случаях сам вершит и расследование, и суд, и наказание. При этом симпатии автора явно находятся на стороне героя, более чем скептически относящегося к западногерманскому правосудию. Согласитесь, довольно необычная позиция для писателя, который сам является видным представителем этого правосудия.

Выступает Бернхард Шлинк и с публицистическими статьями. Так в 1988 году он опубликовал эссе под названием «Право — вина — будущее», где затрагиваются те темы, которые позднее станут ключевыми для романа «Чтец», и прежде всего тема драматического внутреннего конфликта «второго поколения» между стремлением понять ужасные преступления нацизма, совершенные поколением родителей, и стремлением осудить эти преступления так, чтобы сделать возможным их искупление, которое само по себе проблематично из-за чудовищности вины. В этом, по мнению Шлинка, суть *чувства коллективной вины*», наложившего свою печать на судьбы «второго поколения». Право не признает понятия «коллективной вины», но это не отменяет остро переживаемого чувства вины и чувства ответственности за тех, кто связан с тобою узами кровного родства, узами поколения, исторической судьбы.

Бернхард Шлинк оказался активно вовлеченным в события 1989-го и 1990-го годов, когда пала Берлинская стена и Германия объединилась. Демократический «Круглый стол», действовавший в последние месяцы существования ГДР, разработал проект новой Конституции, на основе которой могло состояться объединение Германии. Сторонники такого варианта объединения видели в нем уникальный шанс для дальнейшей модернизации и демократизации страны. Шлинк стал одним из авторов проекта Конституции.

События, однако, пошли по другому пути. Для присоединения ГДР к ФРГ была использована статья 23 действовавшего Основного закона, которая просто распространяла его юрисдикцию на так называемые «новые земли». Однако даже прямой перенос западногерманских политических, правовых, экономических и социальных институтов на восточногерманскую почву обернулся для Германии колоссальными проблемами. Взять хотя бы только кадровый корпус юристов. В бывшей ГДР насчитывалось 1400 судей и 600 адвокатов, а в одной только сопоставимой по численности западногерманской земле Северный Рейн — Вестфалия их работало, соответственно, 4200 и 13 000. Следовательно, предстояло осуществить переподготовку всех старых кадров, которые раньше учились гораздо меньшее количество лет, чем их западногерманские коллеги, осваивали иные программы и дисциплины. Одновременно было необходимо готовить новые кадры юристов по всем специальностям, причем в массовых масштабах.

Бернхард Шлинк стал первым западногерманским профессором права, который уже в 1990 году начал преподавать в восточноберлинском Гумбольдтовском университете. Он и сейчас остается профессором этого университета.

Казалось бы, новые проблемы, обусловленные объединением Германии, настолько многообразны и сложны, что далеко на задний план должны отойти все прежние дискуссии о незавершенном преодолении прошлого или же, наоборот, о необходимости подвести под ним черту ради «нормализации» национальной идентичности и избавления от «комплекса вины». Не тут-то было. Произошла смена поколений. Теперь наиболее влиятельные позиции в политике, экономике, культуре, общественной жизни заняли представители «второго поколения», к которому принадлежит Бернхард Шлинк. Если раньше в дискуссиях, о которых говорилось выше, для этого поколения превалировали моральные и теоретические аспекты, то теперь многие проблемы приобрели вполне конкретный и практический характер. Теперь речь шла о преодолении «наследия коммунистической диктатуры», и в частности о правовом, судебном преследовании тех, кто совершал преступления, обусловленные существовавшим политическим строем и режимом, о пригодности или непригодности прежних кадров на новой государственной службе. Ощущалось стремление исправить ошибки послевоенного поколения в недостаточно последовательном преодолении нацистского прошлого за счет радикализации мер по преодолению коммунистического прошлого. Именно поэтому обращение к прежним дискуссионным темам коллективной вины и ответственности, значения исторической преемственности для обретения и развития национальной идентичности приобрело новую актуальность.

Роман Бернхарда Шлинка «Чтец» появился летом, в год пятидесятилетия со дня окончания Второй мировой войны. Немецкий читатель угадывал в нем отклики на многие из тогдашних дискуссий, в которых участвовал и сам автор[1]. Отзвуки главной темы, прозвучавшей в романе, слышатся и в рассказах сборника «Бегство от любви»[2], вышедшего в 1999 году.

---

[1] Его статьи того времени, а также более поздние публицистические выступления собраны в недавней книге «Вина прошлого и современное право» (Vergangenheitsschuld und gegenwärtiges Recht, 2002).

[2] *Schlink B.* Liebesfluchten. Erzählungen. Zürich: Diogenes Verlag, 1999. На рус. яз.: «Любовник» (М.: Фолио, 2004), «Другой мужчина» (СПб.: Азбука-классика, 2009).

3

В 2006 году вышел в свет новый роман Бернхарда Шлинка «Возвращение». Повествование ведется от лица молодого юриста Петера Дебауэра. Он случайно нападает на след своего отца, якобы погибшего на войне. Начавшиеся поиски шаг за шагом проясняют неожиданные повороты в биографии пропавшего отца. Вдохновленный идеями Великого рейха, он поначалу сделал головокружительную карьеру на службе национал-социализму, затем повторил свой успех, став бойцом идеологического фронта в ГДР, но позднее перебрался в США, где приобрел репутацию блестящего профессора-юриста, разрабатывающего теорию «правового деконструктивизма».

Подобные судьбы не были редкостью для послевоенной Германии. Людей, достававших фальшивые документы, менявших свою идентичность, фамилию, профессию, а заодно и собственные взгляды, публично отстаиваемые убеждения, называли «подлодочниками». Счет шел на многие десятки тысяч, а объявленной в начале пятидесятых годов амнистией для тех, кто жил по подложным документам, воспользовались лишь не более полутора сотен «подлодочников».

Таков, например, скандальный случай с Хансом Шверте, который привлек к себе общественное внимание и до известной степени дал некоторые прототипические черты персонажу из романа «Возвращение», отцу Петера Дебауэра. Настоящая фамилия Ханса Шверте — Шнайдер. Он родился в Восточной Пруссии. При национал-социализме он дослужился до чина гауптштурмфюрера СС в гиммлеровской организации «Аненэрбе». После войны он под чужим именем вновь женился на собственной супруге, объявившей прежнего мужа погибшим в боях за Берлин. Ханс Шверте защитил докторскую диссертацию о «Фаусте», получил признание в качестве авторитетного германиста, позднее был избран ректором элитного Аахенского технического университета и завоевал симпатии либерального студенчества, снискал репутацию поборника демократизации системы высшего образования. Шверте был удостоен высшей награды ФРГ — Большого федерального креста 1-й степени за заслуги. Однако в 1995 году Хансу Шверте пришлось раскрыть свое истинное имя под угрозой разоблачения. От разыгравшегося публичного скандала он по существу уже не сумел оправиться.

У этого персонажа, который выступает в романе под разными именами, прослеживаются параллели и с другими реальными лицами, например с известным бельгийским филологом-деконструктивистом Полем де Маном, после смерти которого в 1983 году обнаружились сотни его националистических и антисемитских публикаций в коллаборационистских изданиях времен Второй мировой войны. А кроме того, над фигурой отца в романе зримо витает тень Карла Шмита, пожалуй самого спорного и выдающегося из правоведов-теоретиков, поддержавших национал-социализм.

Роман «Возвращение» вновь поднимает тему конфликта и преемственности поколений, объединенных непосредственной причастностью или опосредованной прикосновенностью к величайшим преступлениям минувшего века.

В эссе «Современность прошлого», открывавшем в немецком журнале «Шпигель» большую серию статей, посвященных необходимости обращения к прошлому, Бернхард Шлинк писал о своем поколении:

«Прошлое в виде Третьего рейха и холокоста сыграло для большинства из нас определяющую роль. Оно находилось в центре наших споров и разногласий с родителями, оно набрасывало свою тень на формирование наших представлений о немецкой истории; когда мы бывали за границей, то разговоры о прошлом Германии заставляли нас осознавать себя немцами. Обращение к прошлому — независимо от того, насколько большую или малую роль оно играло и продолжает играть в нашей работе, — сделалось составной частью нашего самоощущения и внешних проявлений.

Следующее поколение нередко демонстрирует, что прошлое, Третий рейх и холокост, набили им оскомину, а объясняется это той банальной назойливостью, с которой школа и СМИ заставляют молодежь обращаться к прошлому. Следующее поколение порой говорит о прошлом с долей легкомысленности и даже цинизма, что обусловлено тем нравственным пафосом, с которым мое поколение апеллирует к прошлому, используя его для сравнений с нынешним днем, хотя для подобных апелляций и сравнений уже недостает моральных оснований. <...>

Чем дольше мы живем с представлением о том, что прошлое можно и нужно преодолеть, тем парадоксальнее складывающаяся ситуация. Когда говорится о преодолении, то обычно имеют в виду какие-то трудности: например, перед нами возникает сложная задача, мы работаем над ней и в конце концов добиваемся решения. Трудность преодолена, ее больше нет. <...>

Но прошлое непреодолимо. Однако можно сознательно продолжать жить с теми вопросами, которые прошлое ставит перед настоящим, и с теми чувствами, которые прошлое пробуждает в настоящем. Да, прошлое не только ставит перед нами вопросы, оно может заставить нас скорбеть, возбудить страх или гнев, поразить немотой, потерей самообладания, утратой веры в человеческую и божественную справедливость, оно может заставить нас страдать не только по вине тех, кто совершал преступления, но и тех, кто был свидетелем злодеяний или закрывал на них глаза, а позднее не отрекся от преступников, оставив их в своей среде.

Там же, где прошлое не ставит вопросов перед настоящим и не пробуждает сегодняшних эмоций, не стоит разменивать его на мелкую монету. От размены моральных заповедей прошлого на мелкую монету ничего не выиграешь, зато легко многое проиграть и потерять».

4

24 ноября 2008 года Верховный суд Штутгарта принял решение об условно-досрочном освобождении Кристиана Клара, который провел в заключении двадцать шесть лет, отбывая наказание за соучастие в убийстве де-

вяти человек. Кристиан Клар был одним из лидеров «второго поколения» ультралевой террористической группы RAF («Фракция Красной армии»). Ее жертвами стали, в частности, генеральный прокурор ФРГ Зигфрид Бубак и президент Федерального объединения союзов работодателей Ханс-Мартин Шляйер. Клар отказался сотрудничать со следствием, не высказал ни на суде, ни позднее сожаления о содеянном, не раскаялся, не просил прощения у семей погибших. Суд приговорил его в общей сложности к шести пожизненным срокам и вдобавок к пятнадцати годам тюремного заключения. Правда, Клар, находясь в тюрьме, содействовал самороспуску «Фракции Красной армии», но публично заявил, что оправдывает ее деятельность на определенном этапе.

И вот теперь по решению суда Кристиан Клар должен выйти на свободу 3 января 2009 года, что вызвало довольно острую дискуссию в Германии между противниками и сторонниками подобного акта милосердия со стороны правосудия.

А за год до этого Бернхард Шлинк опубликовал свой новый роман «Конец недели» («Das Wochenende»), который как бы предвосхищает нынешнюю ситуацию. Йорг, главный герой романа, наделенный многими биографическими чертами Кристиана Клара, выходит из тюрьмы после двадцатичетырехлетнего заключения, получив помилование от Федерального президента.

Кристина, сестра Йорга, увозит брата подальше от назойливых журналистов, в маленькое поместье, чтобы облегчить ему адаптацию к нормальной жизни, а еще приглашает старых друзей Йорга, его бывших единомышленников, чтобы отметить освобождение. Впрочем, теперь все они вполне респектабельные граждане: известный журналист-международник, школьная учительница, решившая стать литератором, преуспевающий владелец лаборатории зубоврачебного оборудования, солидный адвокат и даже женщина-епископ протестантской церкви.

Встреча старых друзей невольно оборачивается серьезным разговором о прошлом, которое отчасти вызывает ностальгические чувства об ушедшей бурной юности, однако не менее сильным оказывается желание критически осмыслить прежние заблуждения. Лишь Йорг до поры до времени отмалчивается, не участвует в общем разговоре, уклоняется от расспросов. Однако вскоре к дискуссии присоединяются представители молодого поколения. Нынешний политактивист Марко уговаривает Йорга вернуться в строй, чтобы стать знаменем обезглавленного левоэкстремистского движения. Ситуация до предела обостряется с появлением Фердинанда, сына Йорга, о существовании которого отец даже не подозревал. Именно сын занимает по отношению к Йоргу наиболее непримиримую позицию, предъявляя самые суровые обвинения и не желая принимать никаких оправданий.

Не хочется дальше заниматься неблагодарным делом, то есть пересказом острой сюжетной интриги книги, к тому же есть надежда, что российский читатель вскоре сам сможет познакомиться с романом. Заметим лишь, насколько актуальной, если судить по прозе Шлинка, продолжает оставаться для немецкого общества остроконфликтная проблема наследия двух тоталитарных режимов. Сменяются поколения, но проблема не уходит. Ведь и боевики левоэкстремистского подполья, носители марксистской идеологии, оправдывали вооруженное насилие необходимостью борьбы с «фашистоидной» политической системой, то есть с не до конца искорененными, по их мнению, реликтами национал-социализма. Но что делать демократическому обществу с теми, кто встал на путь террора и насилия, будь то государственная политика геноцида и массового уничтожения идейных противников, которая практиковалась национал-социализмом, государственное насилие, которое осуществлялось режимом «реального социализма», или же «городская герилья» правых и левых экстремистов, а также терроризм любого иного толка? Где проходит черта между демократическими свободами и правом граждан, общества и государства на безопасность? Где грань между возмездием, необходимой ответственностью за совершенное преступление и стремлением сохранить для общества каждого человека, в том числе преступника, по закону осужденного за свои деяния? Что значит «достоинство человека неприкосновенно» по отношению к убийце? Ведь так, напомним, звучит самая первая статья немецкого Основного закона, а все остальное в нем является ее производными.

5

Поиски ответов на эти вопросы содержатся в новой эссеистике Шлинка, в частности в его книгах «Вина за прошлое» и «Убеждения». Цитатой из них и закончим послесловие к роману, который предлагается вниманию читателя:

«От прошлого нельзя отрешиться. И не потому лишь, что невозможно забыть всей чудовищности его ужасов. Не только потому, что из-за них приходится сознавать реальной угрозу для нашего культурного и цивилизационного существования. Прошлое является материалом, который содержит в себе все темы и проблемы морального характера. Ответственность и принципы, сопротивление и приспособленчество, верность и предательство, неуверенность и решимость, власть, алчность, право и совесть — нет такой моральной драмы, которая не разыгралась бы в прошлом, обнаруживая свою близость к нынешней реальности и способность воспроизвестись хотя бы в художественной форме».

Примечания

Роман «Чтец» носит автобиографический характер. Это вовсе не означает, что в жизни автора действительно произошла история, подобная той, которая описана в книге.

Подобной истории быть просто не могло, поскольку никогда не шел такой судебный процесс и, следовательно, не было женщины с трудной судьбой, какая выпала героине романа. Автобиографичность романа в другом. Она в том, что сквозь придуманную историю просвечивает реальная жизнь, подлинная судьба сначала немецкого гимназиста, потом юриста и взрослого человека, который бьется над самыми трудными вопросами немецкой истории XX века и послевоенных десятилетий. Поэтому так важна достоверность деталей, обстоятельств, пейзажей, места действия. Эта достоверность и заставляет поверить в художественный вымысел, который призван драматизировать события, побуждая читателя примерить их на себя.

В тексте рассеяно множество деталей, которые создают у немецкого читателя ощущение подлинности происходящего. Русскому читателю поможет предлагаемый реальный комментарий.

ЧАСТЬ ПЕРВАЯ

С. 7. *Блюменштрассе, Банхофштрассе* — улицы в Гейдельберге (соответственно Цветочная и Вокзальная), идущие параллельно реке Неккар из западной части города к историческому центру. До 1955 г. Банхофштрассе прилегала к Главному вокзалу с железнодорожными путями, затем весь этот комплекс был перенесен в другое место. От этой улицы вверх по холмам начинались кварталы респектабельных домов и вилл, особенно это относилось к Блюменштрассе.

С. 10. *...в родном городе.* — Имеется в виду Гейдельберг; Бернхард Шлинк переехал сюда с родителями в двухлетнем возрасте, здесь прошло его детство, школьные и первые студенческие годы. Он часто говорит о том, что считает своей родиной именно Гейдельберг и Южную Германию.

С. 14. *...с видом на территорию бывшего вокзала...* — См. примеч. к с. 7.

С. 17. *Хойссерштрассе* — названа в честь Людвига Хойссера (1818—1867), известного историка, профессора Гейдельбергского университета. Эта улица, пересекая Блюменштрассе и Банхофштрассе, ведет к берегу Неккара и гимназии, где учится Михаэль.

С. 21. *...готовил меня к конфирмации...* — Обычный возраст конфирмации для немецких протестантов 14—15 лет. По совершении этого обряда конфирмант становится полноправным членом, в частности, он приобретает право становиться крестным отцом или матерью, т. е. брать на себя ответственность за другого человека. Обряд конфирмации, как правило, устраивается на Вербное воскресенье. Таким образом, первое посвящение во взрослую жизнь для Михаэля уже позади (конфирмация, видимо, состоялась 30 марта 1958 г., так как именно на этот день пришлось Вербное воскресенье).

...старшая сестра... — Так же, как у героя романа, у Бернхарда Шлинка было две сестры (Иоганна и Доротея) и брат (Вильгельм), но в отличие от автора, который вырос младшим ребенком в семье, у Михаэля вторая сестра младше его.

С. 30. *Братское кладбище* — заложенное в 1923 г. и расширенное в 1953 г. воинское кладбище с мемориалом, который посвящен солдатам, павшим в обеих мировых войнах. Кладбище находится на юге от города, на высоких холмах.

Молькенкур — южное предместье Гейдельберга, куда идет горный фуникулер.

Нуслох — небольшой городок за южной окраиной Гейдельберга.

С. 31. *Он был профессором философии...* — Отец автора Эдмунд Шлинк (1903—1984) был профессором теологии Гейдельбергского университета.

С. 36. *Ханна* — в переводе с древнееврейского «сострадание», «милосердие».

Михаэль — в переводе с древнееврейского означает «кто подобен Богу?». Таким образом, перекличка имен звучит как бы вопросом и ответом: «Каким должен быть человек, созданный по образу и подобию Божьему?» — «Сострадающим и милосердным».

С. 37. *...в последнем классе средней ступени.* — Средняя ступень немецкой гимназии завершается десятым классом. Только перевод на высшую ступень и ее окончание давали гимназический аттестат зрелости и возможность получить университетское образование.

Рорбах — район на южной окраине Гейдельберга.

...до конца учебного года осталось всего шесть недель. — До реформы системы школьного образования (1964) учебный год в ФРГ заканчивался к Пасхе, а новый учебный год начинался сразу после пасхальных каникул.

С. 41. *Жюльен Сорель, мадам де Реналь, Матильда де ла Моль* — персонажи романа Стендаля (1783—1842) «Красное и черное».

Феликс Круль — герой романа Томаса Манна (1875—1955) «Приключения авантюриста Феликса Круля».

Гёте и *Шарлотта фон Штайн.* — Знакомство Гёте (1749—1832) и Шарлотты фон Штайн (1742—1827) состоялось в 1775 г. в Веймаре. Их двенадцатилетняя дружба оказала большое влияние на жизнь и творчество Гёте.

С. 43. *...историю про то, как один старик сражался с большой рыбой...* — Имеется в виду повесть Эрнеста Хемингуэя (1891—1961) «Старик и море».

С. 44. *«Эмилия Галотти»* — трагедия немецкого драматурга и просветителя Готхольда Эфраима Лессинга (1729—1781).

«Коварство и любовь» — трагедия немецкого драматурга и поэта Фридриха Шиллера (1759—1805).

...Эмилию с Луизой... — главные персонажи названных трагедий.

С. 46. *В первый день пасхальных каникул...* — Пасхальные каникулы отделяли раньше в немецких гимназиях окончание одного учебного года и начало следующего (см. примеч. к с. 37). Любопытно, что хотя действие этого эпизода происходит, судя по хронологии романа, весной 1959 г., однако на самом деле здесь описывается весна 1960 г., когда 15 лет исполнилось не герою романа, а его автору (см. Послесловие).

Швецинген — небольшой город в 11 км на запад от Гейдельберга. Известен своим замком и роскошным парком. До 1970-х гг. туда ходил трамвай, ныне его заменило автобусное сообщение.

С. 47. *Эппельхайм* — городок между Гейдельбергом и Швецингеном.

С. 52. *Вимпфен* — небольшой курорт при впадении реки Ягст в Неккар. Руины кельтского поселения, римских укреплений.

Аморбах — городок в баварской части Оденвальда. Неподалеку знаменитый бенедиктинский монастырь VIII в.

Мильтенберг — городок рядом с Аморбахом. Здесь находится самая старая гостиница Германии. Все три города представляют собою типичный маршрут для коротких туристических поездок жителей Гейдельберга.

С. 53. *Церковь Святого Духа* — одна из главных исторических достопримечательностей Гейдельберга. Построенное в первой половине XV в. готическое здание служило как церковным, так и светским целям (здесь находились актовый зал университета и библиотека).

С. 54. *В долине Рейна... В Оденвальде...* — Западная кромка холмов Оденвальда выходит на Рейнскую долину; здесь и на южных склонах Оденвальда раньше всего в

Германии наступает весна и зацветают фруктовые деревья и распускаются розы, что делает эти окрестности излюбленным местом весенних прогулок и поездок.

С. 57. *Эйхендорф* — немецкий поэт и писатель Йозеф фон Эйхендорф (1788—1857). Изучал право в Гейдельбергском университете, тесно сблизился с литературным кружком «Гейдельбергских романтиков».

«...Значит, таможенник считался плохой профессией?»... — Молодой герой романа «Из жизни одного бездельника», переживая множество приключений, меняет род занятий, в частности служит таможенником.

С. 58. *...увлекался... Рильке и Бенном...* — Райнер Мария Рильке (1895—1926) — австрийский поэт и писатель. Готфрид Бенн (1886—1956) — немецкий поэт и писатель.

С. 66. *...с видом на Хайлигенберг...* — Указание на то, что речь идет о самой старой гейдельбергской гимназии имени курфюрста Фридриха, которая находится с левой стороны Неккара, прямо на набережной. Ее окна смотрят на противоположный берег с горой Хайлигенберг, которая доминирует над окрестностями.

С. 69. *«Шеваль»* (*фр.* cheval) — «лошадь».

«Эквин» (*лат.* equus) — «лошадь».

Буцефальчик — от Буцефал, любимый конь Александра Македонского.

...соседний город... — Маннгейм, расположенный в получасе езды от Гейдельберга. Шиллер служил драматургом Маннгеймского театра, где в апреле 1784 г. состоялась премьера трагедии «Коварство и любовь».

С. 70. *...мой день рождения...* — День рождения у Михаэля приходится на июль, как и у самого Бернхарда Шлинка (6 июля 1944 г.).

С. 73. *Нойенхаймер-Фельд.* — Бывшая рыбачья деревушка Нойенхайм является самым древним поселением Гейдельберга, относящимся еще к римским временам. В восточной части этого правобережного района находится большой городской пляж и квартал Нойенхаймер-Фельд, где в 1970-е гг. возник крупный университетский комплекс.

С. 76. *Ричард Уидмарк, Дороти Мэлоун* — исполнители главных ролей в американском вестерне «Уорлок» (немецкая премьера состоялась 15 мая 1959 г.).

...перед большими каникулами... — Большие летние каникулы начинались в последних числах июля или первых числах августа, а заканчивались в начале сентября.

С. 79. *Вильгельмсплац* — площадь неподалеку от Блюменштрассе.

Кирххайм — район на юго-востоке Гейдельберга.

ЧАСТЬ ВТОРАЯ

С. 83. *Последние школьные годы...* — три последних класса гимназии (с 11-го по 13-й).

С. 85. *Помню деда...* — Дед самого Бернхарда Шлинка по отцовской линии был профессором Дармштадского высшего технического училища, дед по материнской линии — швейцарским издателем.

С. 86. *...не первый и далеко не самый крупный процесс...* — Намек на один из Франкфуртских процессов над эсэсовцами, служившими в концлагере Аушвиц. Первый судебный процесс, который шел с 20 декабря 1963 г. по 20 августа 1965 г., привлек к себе огромное внимание немецкой и международной общественности. За ним последовало еще несколько процессов, уже не столь громких (1964—1966, 1967—1968, 1973—1976). Суд, описываемый в романе, начинается весной 1966 г. и завершается в конце июня, что не соответствует ни одному из реальных судебных процессов.

...дискуссия о недопустимости наказания за преступление, которое не предусматривалось законом на момент совершения. — Тема одной из наиболее острых юридических дискуссий того времени, поскольку на этом тезисе строилась защита обвиняемых на судах над нацистскими преступниками.

С. 87. *...вернувшийся из эмиграции...* — Среди преподавателей Гейдельбергского университета, у которых учился

Шлинк, действительно были как эмигранты, вернувшиеся в Германию, так и бывшие активные приверженцы нацистского режима.

С. 88. *...лишился должности доцента философии...* — Отцу Бернхарда Шлинка нацисты запретили заниматься преподавательской деятельностью.

С. 90. *...в соседнем городе...* — во Франкфурте-на-Майне.

...по Горной дороге... — Так называлась построенная еще римлянами старая дорога между Гейдельбергом и Дармштадтом, идущая по западной кромке Оденвальда (это направление ведет на Франкфурт). В силу микроклиматических особенностей здесь рано начинают цвести фруктовые деревья.

С. 92. *НСДАП* — Национал-социалистическая немецкая рабочая партия (NSDAP — Nationalsozialistische Deutsche Arbeiterpartei) — политическая партия в Германии в 1919—1945 гг., с 1933 г. у власти; лидер партии Адольф Гитлер (с 1921). После поражения Германии во Второй мировой войне распущена союзниками по антигитлеровской коалиции. На Нюрнбергском процессе руководящий состав партии объявлен преступным, а идеология НСДАП названа одной из главных причин войны.

Аушвиц (*пол.* Освенцим) — один из крупнейших «лагерей смерти». Создан в Польше весной 1940 г. Комендантом был назначен Рудольф Хёсс. По разным данным в концлагере Аушвиц и его филиалах уничтожено от одного до четырех миллионов человек.

С. 113. *Кобыла* — прозвище Хермины Браунштайнер, надзирательницы из концлагеря Майданек. Процесс над эсэсовцами из этого концлагеря состоялся в 1975—1981 гг. в Дюссельдорфе. Он стал самым долгим судебным процессом над нацистскими преступниками в ФРГ и единственным, где среди обвиняемых были женщины (пять надзирательниц).

С. 122. *Хайлигенберг* — живописная гора на правом берегу Неккара (см. прим. к с. 66).

Церковь Святого Михаила — руины церкви IX в., одна из главных исторических достопримечательностей на горе Хайлигенберг.

Башня Бисмарка — так обычно называются в немецких городах и пригородах башни со смотровыми площадками, откуда открываются наиболее красивые виды на окрестности; в Гейдельберге она была сооружена в 1900 г.

Дорожка философов — устроенная в 1817 г. на склонах правого берега длинная прогулочная дорожка-променад с многочисленными скамейками, беседками и мемориальными указателями, посвященными бывавшим здесь «гейдельбергским романтикам».

С. 132. *Дом, куда мы переехали...* — Семья Шлинк действительно переехала в начале 1960-х гг. на правый берег Неккара в другой район.

С. 138. *Аушвиц был... известен... по воротам с их надписью...* — Эта надпись гласила: «Труд делает свободным».

Биркенау (*пол.* Бжезинка) — «лагерь смерти», созданный в 1941 г. по приказу Гиммлера на территории Польши. Предназначался для уничтожения ста тысяч русских заключенных.

Берген-Бельзен — концлагерь, расположенный неподалеку от города Целле под Ганновером. При освобождении лагеря союзническими войсками в апреле 1945 г. здесь было обнаружено 35 тысяч трупов.

«Холокост» — многосерийный художественный фильм, показанный телевидением ФРГ в 1978 г. Повествует о массовом истреблении евреев в нацистской Германии.

«Выбор Софи» — американский художественный фильм (1988) по роману У. Стайрона; рассказывает о польской женщине, пережившей концлагерь Аушвиц.

«Список Шиндлера» — американский художественный фильм (1993), посвященный судьбе немецкого предпринимателя Оскара Шиндлера, спасшего в годы войны тысячи евреев.

С. 139. *...Штрутхоф в Эльзасе.* — Концлагерь Нацвайлер-Штрутхоф был создан весной 1941 г. Здесь ставились медицинские опыты над заключенными, нередко приводившие к смерти.

ЧАСТЬ ТРЕТЬЯ

С. 156. *...лето студенческих волнений.* — Студенческое движение протеста, начавшееся с демонстрации против визита в Германию иранского шаха Пехлеви в июне 1967 г.

...будучи стажером... — Для завершения юридического образования в ФРГ необходима профессиональная практика, которая обычно длится два года и проходит в различных государственных учреждениях.

С. 159. *...первый госэкзамен...* — По окончании базового университетского курса немецкие юристы сдают первый государственный экзамен, за которым следует стажировка.

С. 162. *...второй госэкзамен.* — Второй (асессорский) государственный экзамен, дающий квалификацию «полного юриста», держат по завершении стажировки.

Кладбище Бергфридхоф. — Заложенное в 1844 г. городское кладбище представляет собой большой лесопарк. Здесь похоронены многие из всемирно известных уроженцев и граждан Гейдельберга, например философ и социолог Макс Вебер, политик Фридрих Эберт, химик Роберт Бунзен, отец Бернхарда Шлинка теолог Эдмунд Шлинк, скончавшийся в 1984 г.

С. 169. *Артур Шницлер* (1862—1931) — австрийский писатель.

...адрес тюрьмы... — Видимо, речь идет о тюрьме в районе Пройнгесхайм (Франкфурт-на-Майне), единственной женской тюрьме в земле Гессен.

С. 170. *Готфрид Келлер* (1819—1890) — швейцарский писатель, учился в Гейдельберге; автор романа воспитания «Зеленый Генрих».

Теодор Фонтане (1819—1898) — немецкий писатель и публицист.

Генрих Гейне (1797—1856) — немецкий поэт, публицист, критик.

Эдуард Мерике (1807—1875) — немецкий писатель, поэт.

С. 171. *Франц Кафка* (1883—1924) — австрийский писатель.

Макс Фриш (1911—1991) — швейцарский писатель.

Уве Йонсон (1934—1984) — немецкий писатель.

Ингеборг Бахман (1926—1973) — австрийская писательница.

Зигфрид Ленц — немецкий писатель (р. 1926).

...начал писать сам... — Первый детективный роман Бернхарда Шлинка «Самосуд» («Selbs Justiz»), написанный в соавторстве с Вальтером Поппом, вышел в 1987 г.

С. 177. *Мне уже доводилось слышать о ней...* — Здесь угадывается портрет Хельги Айнзеле, директора женской тюрьмы Пройнгесхайм, лауреата правозащитной премии им. Франца Бауэра, по инициативе которого состоялся первый Франкфуртский процесс над эсэсовцами из Аушвица (1963—1965).

С. 188. *Примо Леви* (1919—1987) — итальянский писатель, участвовал в движении Сопротивления, в 1944 г. был депортирован в Аушвиц. Автор документального биографического произведения о пережитом в концлагере «Се человек?» (1947, нем. пер. — 1961). Покончил жизнь самоубийством.

Эли Визель (р. 1928) — американский писатель, лауреат Нобелевской премии мира 1986 г.; в 1944 г. был депортирован в Аушвиц.

Тадеуш Боровский (1922—1951) — польский писатель, узник фашистских концлагерей Аушвиц и Дахау, автор воспоминаний «Мы были в Освенциме» (1946). Покончил жизнь самоубийством.

Жан Амери (1912—1978) — австрийский писатель, участник бельгийского Сопротивления, узник концлагеря, автор эссеистического сборника «По ту сторону преступления и наказания» (1966), покончил с собой.

Рудольф Хёсс (1900—1947) — с мая 1940 г. комендант концлагеря Аушвиц. В 1946 г. арестован и передан Польше, где предстал перед судом, завершившимся смертным приговором. Оставил автобиографические заметки, написанные во время следствия.

Ханна Арендт (1906—1975) — немецко-американский философ, политолог и социолог. Училась в Гейдельбергском университете, здесь же защитила кандидатскую диссертацию у Карла Ясперса. В 1933 г. эмигрировала сначала во Францию, позднее в США. Большой общественный резонанс вызвала работа Х. Арендт «Эйхман в Иерусалиме», а также ее репортажи о Франкфуртском процессе.

Адольф Эйхман (1906—1962) — один из главных нацистских руководителей, непосредственно ответственных за гибель миллионов евреев. 20 января 1942 г. принимал участие в Ванзейском совещании, на котором было принято решение о депортации евреев в «лагеря смерти». Летом 1944 г. докладывал Гиммлеру, что разными ведомствами уничтожено около шести миллионов евреев. После войны бежал в Южную Америку, откуда 13 мая 1960 г. был тайно вывезен спецагентами в Израиль. Суд приговорил его к смертной казни через повешение.

Б. Хлебников

СОДЕРЖАНИЕ

Литературно-художественное издание

БЕРНХАРД ШЛИНК
ЧТЕЦ

Ответственная за выпуск Наталия Роговская
Художественный редактор Илья Кучма
Технический редактор Ольга Иванова
Корректоры Елена Орлова, Анна Быстрова
Верстка Алексея Соколова

Руководитель проекта Максим Крютченко

Подписано в печать 21.07.2009.
Формат издания 84 × 108 $^1/_{32}$. Печать офсетная.
Гарнитура «Петербург». Тираж 15 000 экз. Усл. печ. л. 11,7.
Заказ № 17489.

Издательская Группа «Азбука-классика».
191014, Санкт-Петербург, ул. Чехова, д. 9, лит. А, пом. 6Н.
www.azbooka.ru

Отпечатано по технологии CtP
в ОАО «Печатный двор» им. А. М. Горького
197110, Санкт-Петербург, Чкаловский пр., 15.

KAVS320706R